Ru

Kim Thúy

Ru

Récit

Catalogage avant publication de Bibliothèque et Archives nationales du
Québec et Bibliothèque et Archives Canada

Thúy, Kim

    Ru
    (10/10)
    Édition originale : Montréal : Libre expression, c2009.
    ISBN 978-2-8972-2002-0
    1. Thúy, Kim. II. Titre. III. Collection : Québec 10/10.

PS8639.H89R8 2014   C848'.603   C2014-940884-6
PS9639.H89R8 2014

Direction de la collection : Marie-Eve Gélinas
Mise en pages : Clémence Beaudoin et Chantal Boyer
Couverture : Chantal Boyer

Remerciements
Nous reconnaissons l'aide financière du gouvernement du Canada par l'entremise
du Fonds du livre du Canada pour nos activités d'édition.
Nous remercions le Conseil des Arts du Canada et la Société de développement
des entreprises culturelles du Québec (SODEC) du soutien accordé à notre programme de publication.
Gouvernement du Québec – Programme de crédit d'impôt pour l'édition de
livres – gestion SODEC.

Les Éditions internationales Alain Stanké
Groupe Librex inc.
Une société de Québecor Média
4545, rue Frontenac, 3e étage
Montréal (Québec) H2H 2R7
Tél. : 514 523-1182
Sans frais : 1 800 361-4806

editionsstanke.groupelivre.com

Dépôt légal – Bibliothèque et Archives nationales du Québec et Bibliothèque et
Archives Canada, 2014

ISBN : 978-2-8972-2002-0

Distribution au Canada
Messageries ADP Inc.
2315, rue de la Province
Longueuil (Québec) J4G 1G4
Tél. : 450 640-1234
Sans frais : 1 800 771-3022
www.messageries-adp.com

En français, *ru* signifie « petit ruisseau » et, au figuré, « écoulement (de larmes, de sang, d'argent) » (*Le Robert historique*). En vietnamien, *ru* signifie « berceuse », « bercer ».

Aux gens du pays.

JE SUIS VENUE AU MONDE pendant l'offensive du Têt, aux premiers jours de la nouvelle année du Singe, lorsque les longues chaînes de pétards accrochées devant les maisons explosaient en polyphonie avec le son des mitraillettes.

J'ai vu le jour à Saigon, là où les débris des pétards éclatés en mille miettes coloraient le sol de rouge comme des pétales de cerisier, ou comme le sang des deux millions de soldats déployés, éparpillés dans les villes et les villages d'un Vietnam déchiré en deux.

Je suis née à l'ombre de ces cieux ornés de feux d'artifice, décorés de guirlandes lumineuses, traversés de roquettes et de fusées. Ma naissance a eu pour mission de remplacer les vies perdues. Ma vie avait le devoir de continuer celle de ma mère.

JE M'APPELLE NGUYỄN AN TỊNH et ma mère, Nguyễn An Tĩnh. Mon nom est une simple variation du sien puisque seul un point sous le *i* me différencie d'elle, me distingue d'elle, me dissocie d'elle. J'étais une extension d'elle, même dans le sens de mon nom. En vietnamien, le sien veut dire « environnement paisible » et le mien, « intérieur paisible ». Par ces noms presque interchangeables, ma mère confirmait que j'étais une suite d'elle, que je continuerais son histoire.

L'Histoire du Vietnam, celle avec un grand H, a déjoué les plans de ma mère. Elle a jeté les accents de nos noms à l'eau quand elle nous a fait traverser le golfe du Siam, il y a trente ans. Elle a aussi dépouillé nos noms de leur sens, les réduisant à des sons à la fois étrangers et étranges dans la langue française. Elle est surtout venue rompre mon rôle de prolongement naturel de ma mère quand j'ai eu dix ans.

GRÂCE À L'EXIL, mes enfants n'ont jamais été des prolongements de moi, de mon histoire. Ils s'appellent Pascal et Henri et ne me ressemblent pas. Ils ont les cheveux clairs, la peau blanche et les cils touffus. Je n'ai pas éprouvé le sentiment naturel de la maternité auquel je m'attendais quand ils étaient accrochés à mes seins à trois heures du matin, au milieu de la nuit. L'instinct maternel m'est venu beaucoup plus tard, au fil des nuits blanches, des couches souillées, des sourires gratuits, des joies soudaines.

C'est seulement à ce moment-là que j'ai saisi l'amour de cette mère assise en face de moi dans la cale de notre bateau, tenant dans ses bras un bébé dont la tête était couverte de croûtes de gale puantes. J'ai eu cette image sous les yeux pendant des jours et peut-être aussi des nuits. La petite ampoule suspendue au bout d'un fil retenu par un clou rouillé diffusait dans la cale une faible lumière, toujours la même. Au fond de ce bateau, le jour ne se distinguait plus de la nuit. La constance de cet éclairage nous protégeait de l'immensité de la mer et du ciel qui nous entouraient. Les gens assis sur le pont nous rapportaient qu'il n'y avait plus de ligne de démarcation entre le bleu du ciel et le bleu de la mer. On ne savait donc pas si on se dirigeait vers le ciel ou si on s'enfonçait dans les profondeurs de l'eau. Le paradis et l'enfer s'étaient enlacés dans le ventre de notre bateau. Le paradis promettait un tournant dans notre vie, un nouvel avenir, une nouvelle histoire. L'enfer, lui, étalait nos peurs : peur des pirates, peur de mourir de faim, peur de s'intoxiquer avec les biscottes imbibées d'huile à moteur, peur de manquer d'eau, peur de ne plus pouvoir se remettre debout, peur de devoir uriner dans ce pot rouge qui passait d'une main à l'autre, peur que cette tête d'enfant galeuse ne soit contagieuse, peur de ne plus jamais fouler la terre ferme, peur de ne plus revoir le visage de ses parents assis quelque part dans la pénombre au milieu de ces deux cents personnes.

AVANT QUE NOTRE BATEAU ait levé l'ancre en pleine nuit sur les rives de Rạch Giá, la majorité des passagers n'avait qu'une peur, celle des communistes, d'où leur fuite. Mais, dès qu'il a été entouré, encerclé d'un seul et uniforme horizon bleu, la peur s'est transformée en un monstre à cent visages, qui nous sciait les jambes, nous empêchait de ressentir l'engourdissement de nos muscles immobilisés. Nous étions figés dans la peur, par la peur. Nous ne fermions plus les yeux quand le pipi du petit à la tête galeuse nous arrosait. Nous ne nous pincions plus le nez devant le vomi de nos voisins. Nous étions engourdis, emprisonnés par les épaules des uns, les jambes des autres et la peur de chacun. Nous étions paralysés.

L'histoire de la petite fille qui a été engloutie par la mer après avoir perdu pied en marchant sur le bord s'est propagée dans le ventre odorant du bateau comme un gaz anesthésiant, ou euphorique, qui a transformé l'unique ampoule en étoile polaire et les biscottes imbibées d'huile à moteur en biscuits au beurre. Ce goût d'huile dans la gorge, sur la langue, dans la tête nous endormait au rythme de la berceuse chantée par ma voisine.

MON PÈRE AVAIT PRÉVU, si notre famille était capturée par des communistes ou des pirates, de nous endormir pour toujours, comme la Belle au bois dormant, avec des pilules de cyanure. Pendant longtemps, j'ai voulu lui demander pourquoi il n'avait pas pensé à nous laisser le choix, pourquoi il nous aurait enlevé la possibilité de survivre.

J'ai cessé de me poser cette question quand je suis devenue mère, quand monsieur Vịnh, chirurgien de grande réputation à Saigon, m'a raconté comment il a mis ses cinq enfants, l'un après l'autre, seuls, du garçon de douze ans à la petite fille de cinq ans, sur cinq bateaux différents, à cinq moments différents, pour les envoyer au large, loin des charges des autorités communistes qui pesaient contre lui. Il était certain de mourir en prison puisqu'on l'accusait d'avoir tué des camarades communistes en les opérant, même si ces derniers n'avaient jamais mis les pieds dans son hôpital. Il espérait sauver un, peut-être deux de ses enfants en les lançant à la mer. J'ai rencontré monsieur Vịnh sur les marches d'une église, qu'il déneigeait l'hiver et balayait l'été pour remercier le prêtre qui l'avait remplacé auprès de ses enfants, les élevant les cinq, l'un après l'autre, jusqu'à leur maturité, jusqu'à sa sortie de la prison.

JE N'AI PAS CRIÉ NI PLEURÉ quand on m'a annoncé que mon fils Henri était emprisonné dans son monde, quand on m'a confirmé qu'il est de ces enfants qui ne nous entendent pas, qui ne nous parlent pas, même s'ils ne sont ni sourds ni muets. Il est aussi de ces enfants qu'il faut aimer de loin, sans les toucher, sans les embrasser, sans leur sourire parce que chacun de leurs sens serait violenté tour à tour par l'odeur de notre peau, par l'intensité de notre voix, par la texture de nos cheveux, par le bruit de notre cœur. Il ne m'appellera probablement jamais « maman » avec amour, même s'il peut prononcer le mot « poire » avec toute la rondeur et la sensualité du son *oi*. Il ne comprendra jamais pourquoi j'ai pleuré quand il m'a souri pour la première fois. Il ne saura pas que, grâce à lui, chaque étincelle de joie est devenue une bénédiction et que je livrerai toujours les combats contre l'autisme, même si d'avance je le sais invincible.

D'avance, je suis vaincue, dénudée, vaine.

QUAND J'AI VU LES PREMIERS bancs de neige à travers le hublot de l'avion à l'aéroport de Mirabel, je me suis aussi sentie dénudée, sinon nue. Malgré mon pull orange à manches courtes acheté au camp de réfugiés en Malaisie avant notre départ pour le Canada, malgré mon chandail de laine brune tricoté à grosses mailles par des Vietnamiennes, j'étais nue. Nous étions plusieurs dans cet avion à nous ruer vers les fenêtres, la bouche entrouverte et l'air ébahi. Après avoir vécu un long séjour dans des lieux sans lumière, un paysage aussi blanc, aussi virginal ne pouvait que nous éblouir, nous aveugler, nous enivrer.

J'étais étourdie autant par tous ces sons étrangers qui nous accueillaient que par la taille de la sculpture de glace qui veillait sur une table couverte de canapés, de hors-d'œuvre, de bouchées, les uns plus colorés que les autres. Je ne reconnaissais aucun de ces plats, pourtant je savais que c'était un lieu de délices, un pays de rêve. J'étais comme mon fils Henri : je ne pouvais pas parler ni écouter, même si je n'étais ni sourde ni muette. Je n'avais plus de points de repère, plus d'outils pour pouvoir rêver, pour pouvoir me projeter dans le futur, pour pouvoir vivre le présent, dans le présent.

MA PREMIÈRE PROFESSEURE au Canada nous a accompagnés, les sept plus jeunes Vietnamiens du groupe, pour traverser le pont qui nous emmenait vers notre présent. Elle veillait sur notre transplantation avec la délicatesse d'une mère envers son nouveau-né prématuré. Nous étions hypnotisés par le balancement lent et rassurant de ses hanches rondes et de ses fesses bombées, pleines. Telle une maman cane, elle marchait devant nous, nous invitant à la suivre jusqu'à ce havre où nous redeviendrions des enfants, de simples enfants, entourés de couleurs, de dessins, de futilités. Je lui serai toujours reconnaissante parce qu'elle m'a donné mon premier désir d'immigrante, celui de pouvoir faire bouger le gras des fesses, comme elle. Aucun Vietnamien de notre groupe ne possédait cette opulence, cette générosité, cette nonchalance dans ses courbes. Nous étions tous angulaires, osseux, durs. Alors quand elle s'est penchée sur moi, plaçant ses mains sur les miennes pour me dire «Je m'appelle Marie-France, et toi?», j'ai répété chacune des syllabes sans cligner des yeux, sans ressentir le besoin de comprendre, parce que j'étais bercée par un nuage de fraîcheur, de légèreté, de doux parfum. Je n'avais rien compris des mots, seulement la mélodie de sa voix, mais c'était suffisant. Amplement.

UNE FOIS À LA MAISON, j'ai répété la même séquence de sons à mes parents : « Je m'appelle Marie-France, et toi ? » Ils m'ont alors demandé si j'avais changé mon nom. C'est à cet instant précis que j'ai été rattrapée par ma réalité du moment, où la surdité et le mutisme circonstanciels effaçaient les rêves, donc le pouvoir de regarder loin, loin devant.

Mes parents, même s'ils parlaient déjà le français, ne pouvaient pas non plus regarder loin devant eux, puisqu'ils avaient été expulsés de leur cours d'initiation au français, c'est-à-dire expulsés de la liste de ceux qui recevaient un salaire de quarante dollars par semaine. Ils étaient surqualifiés pour ce cours, mais sous-qualifiés pour tout le reste. À défaut de pouvoir regarder devant eux, ils regardaient devant nous, pour nous, leurs enfants.

POUR NOUS, ils ne voyaient pas les tableaux noirs qu'ils essuyaient, les toilettes d'école qu'ils frottaient, les rouleaux impériaux qu'ils livraient. Ils voyaient seulement notre avenir. Mes frères et moi, nous avons ainsi marché dans les traces de leur regard pour avancer. J'ai rencontré des parents dont le regard s'était éteint, certains sous le poids du corps d'un pirate, d'autres pendant les trop nombreuses années de rééducation communiste dans les camps, non pas les camps de la guerre pendant la guerre, mais ceux de la paix, après la guerre.

PETITE, JE CROYAIS que la guerre et la paix étaient deux antonymes. Et pourtant, j'ai vécu dans la paix pendant que le Vietnam était en feu, et j'ai eu connaissance de la guerre seulement après que le Vietnam eut rangé ses armes. Je crois que la guerre et la paix sont en fait des amies et qu'elles se moquent de nous. Elles nous traitent en ennemis quand ça leur plaît, comme ça leur convient, sans se soucier de la définition ou du rôle que nous leur donnons. Il ne faut donc peut-être pas se fier à l'apparence de l'une ou de l'autre pour choisir la direction de notre regard. J'ai eu la chance d'avoir des parents qui ont pu préserver leur regard peu importe la couleur du temps, du moment. Ma mère me récitait souvent le proverbe qui était écrit sur le tableau noir de sa huitième année à Saigon : *Đời là chiến trận, nếu buồn là thua* – « La vie est un combat où la tristesse entraîne la défaite. »

MA MÈRE A LIVRÉ ses premiers combats tard, sans tristesse. Elle a travaillé pour la première fois à l'âge de trente-quatre ans en tant que femme de ménage d'abord, et par la suite ouvrière dans des usines, des manufactures, des restaurants. Avant, dans cette vie qu'elle a perdue, elle était la fille aînée de son père préfet. Elle ne faisait qu'arbitrer les disputes entre le chef en cuisine française et le chef en cuisine vietnamienne dans la cour familiale. Ou alors, elle jugeait les amours clandestines entre servantes et serviteurs. Autrement, elle passait ses après-midi à se coiffer, à se maquiller, à se vêtir pour accompagner mon père à des soirées mondaines. Grâce à l'extravagance de cette vie qu'elle menait, tous les rêves lui étaient permis, surtout ceux qu'elle faisait pour nous. Elle nous préparait, mes frères et moi, à devenir à la fois musiciens, scientifiques, politiciens, sportifs, artistes et polyglottes.

Cependant, puisque le sang continuait à couler et les bombes à tomber au loin, elle nous enseignait à nous agenouiller comme les domestiques. Chaque jour, elle m'obligeait à laver quatre carreaux du plancher et à nettoyer vingt fèves germées en enlevant leur racine une à une. Elle nous préparait à la chute. Elle a eu bien raison parce que, très vite, nous n'avons plus eu de plancher sous nos pieds.

DURANT NOS PREMIÈRES NUITS de réfugiés en Malaisie, nous dormions directement sur la terre rouge, sans plancher. La Croix-Rouge avait construit des camps de réfugiés dans les pays voisins du Vietnam pour accueillir les *boat people*, ceux qui avaient survécu au voyage en mer. Les autres, qui avaient coulé pendant la traversée, n'avaient pas de noms. Ils sont morts anonymes. Nous avons fait partie de ceux qui ont eu la chance de se laisser choir sur la terre ferme. Alors, nous nous sentions bénis d'être parmi les deux mille réfugiés de ce camp qui n'en devait desservir que deux cents.

NOUS AVONS CONSTRUIT une cabane sur pilotis dans un coin reculé du camp, sur la pente d'une colline. Pendant des semaines, nous avons été vingt-cinq personnes de cinq familles à abattre ensemble, en cachette, quelques arbres dans le bois voisin, à les planter dans le sol mou de la terre glaise, à fixer six panneaux de contreplaqué pour en faire un grand plancher et à recouvrir la charpente d'une toile bleu électrique, bleu plastique, bleu jouet. Nous avons eu la chance de trouver assez de sacs de riz en toile de jute et en nylon pour entourer les quatre côtés de notre cabane, en plus des trois côtés de notre salle de bains commune. Ensemble, ces deux constructions ressemblaient à l'installation d'un artiste contemporain dans un musée. La nuit, nous dormions tellement collés les uns contre les autres que nous n'avions jamais froid, même sans couverture. Le jour, la chaleur absorbée par la toile bleue rendait l'air de notre cabane suffocant. Les jours et les nuits de pluie, la toile laissait l'eau couler à travers les trous percés par les feuilles, les brindilles, les tiges que nous avions ajoutées pour rafraîchir.

Si un chorégraphe avait été présent sous cette toile un jour ou une nuit de pluie, il aurait certainement reproduit la scène : vingt-cinq personnes debout, petits et grands, qui tenaient dans chacune de leurs mains une boîte de conserve pour recueillir l'eau coulant de la toile, parfois à flots, parfois goutte à goutte. Si un musicien s'était trouvé là, il aurait entendu l'orchestration de toute cette eau frappant la paroi des boîtes de conserve. Si un cinéaste avait été présent, il aurait capté la beauté de cette complicité silencieuse et spontanée entre gens misérables. Mais il n'y avait que nous, debout sur ce plancher qui s'enfonçait doucement dans la glaise. Au bout de trois mois, il penchait tellement d'un côté que nous avons été obligés de replacer la position de chacun de nous afin d'empêcher les enfants et les femmes de glisser pendant leur sommeil vers le ventre dodu de leur voisin.

MALGRÉ TOUTES CES NUITS où nos rêves coulaient sur la pente du plancher, ma mère a continué à ambitionner un avenir pour nous. Elle s'était trouvé un complice. Il était jeune et certainement naïf puisqu'il osait afficher joie et désinvolture au milieu du vide monotone de notre quotidien. Ensemble, ma mère et lui ont monté une classe d'anglais. Avec lui, nous avons passé des matins entiers à répéter des mots sans les comprendre. Mais nous étions tous au rendez-vous, parce qu'il réussissait à soulever le ciel pour nous laisser entrevoir un nouvel horizon, loin des trous béants remplis d'excréments accumulés par les deux mille personnes du camp. Sans son visage, nous n'aurions pas pu imaginer un horizon dépourvu d'odeurs nauséabondes, de mouches, de vers. Sans son visage, nous n'aurions pas pu imaginer qu'un jour nous ne mangerions plus de poissons avariés, lancés à même le sol chaque fin d'après-midi à l'heure de la distribution des vivres. Sans son visage, nous aurions certainement perdu le désir de tendre la main pour rattraper nos rêves.

MALHEUREUSEMENT, de tous les matins avec ce professeur d'anglais improvisé, je n'ai retenu qu'une seule phrase : « *My boat number is KGO338.* » Cette phrase s'est révélée complètement inutile puisque je n'ai jamais eu la chance de l'utiliser, même pas à l'examen médical de la délégation canadienne. Le docteur en poste ne m'a pas adressé la parole. Il a tiré l'élastique de mon pantalon pour confirmer mon sexe plutôt que de me le demander. *Boy or girl ?* Je connaissais aussi ces deux mots. J'imagine que la physionomie d'un garçon et celle d'une fille de dix ans devaient se ressembler énormément, vu notre maigreur. Et puis, le temps pressait : nous étions tellement nombreux de l'autre côté de la porte. Il faisait si chaud dans cette petite salle d'examen aux fenêtres ouvertes sur une allée bruyante, où des centaines de personnes bousculaient leurs seaux d'eau à la pompe. Nous étions recouverts de plaques de gale et de poux, et nous avions tous le visage des gens perdus, dépassés.

De toute manière, je parlais très peu, parfois pas du tout. Pendant toute mon enfance, ma cousine Sao Mai a toujours parlé en mon nom, car j'étais son ombre : même âge, même classe, même sexe, mais son visage était du côté clair et le mien, du côté de l'obscur, de l'ombre, du silence.

MA MÈRE VOULAIT QUE JE PARLE, que j'apprenne à parler le plus rapidement possible le français, et aussi l'anglais puisque ma langue maternelle était devenue non pas dérisoire, mais inutile. Dès ma deuxième année au Québec, elle m'a envoyée dans une caserne de cadets anglophones. C'était une façon d'apprendre l'anglais gratuitement, m'avait-elle dit. Elle se trompait, ce n'était pas gratuit. Je l'ai payé, cher. Ils étaient une quarantaine de cadets, tous grands, effervescents et, surtout, adolescents. Ils se prenaient au sérieux en inspectant minutieusement le pli d'un col, l'angle d'un béret, la brillance d'une botte. Les plus vieux criaient après les plus jeunes. Ils jouaient à la guerre, à l'absurde, sans comprendre. Je ne les comprenais pas. Je ne comprenais pas non plus pourquoi le nom de mon voisin de rang avait été répété en boucle par notre supérieur. Peut-être voulait-il que je retienne le nom de cet adolescent qui faisait deux fois ma taille. J'ai commencé mon premier dialogue en anglais en le saluant à la fin de la séance : « *Bye, Asshole.* »

MA MÈRE ME PLAÇAIT souvent dans des situations de honte extrême. Une fois, elle m'a demandé d'aller acheter du sucre à l'épicerie située juste en dessous de notre premier appartement. J'y suis allée sans trouver de sucre. Ma mère m'y a renvoyée et a même verrouillé la porte derrière moi : « Ne reviens pas sans le sucre ! » Elle avait oublié que j'étais sourde et muette. Je me suis assise sur les marches de l'épicerie jusqu'à la fermeture, jusqu'à ce que l'épicier me prenne par la main et me dirige vers le sac de sucre. Il m'avait comprise, même si mon mot « sucre » était amer.

Pendant longtemps, j'ai cru que ma mère prenait un plaisir fou à me pousser constamment au bord du précipice. Quand j'ai eu mes propres enfants, j'ai finalement compris que j'aurais dû l'avoir vue derrière la porte verrouillée, les yeux collés au judas ; j'aurais dû l'entendre parler à l'épicier au téléphone, pendant que j'étais assise à pleurer sur les marches. J'ai aussi compris plus tard que ma mère avait certainement des rêves pour moi, mais qu'elle m'a surtout donné des outils pour me permettre de recommencer à m'enraciner, à rêver.

LA VILLE DE GRANBY a été le ventre chaud qui nous a couvés durant notre première année au Canada. Les habitants de cette ville nous ont bercés un à un. Les élèves de mon école primaire faisaient la queue pour nous inviter chez eux pour le repas du midi. Ainsi, chacun de nos midis était réservé par une famille et, chaque fois, nous retournions à l'école le ventre presque vide, parce que nous ne savions pas comment manger du riz non collant avec une fourchette. Nous ne savions pas comment leur dire que cette nourriture nous était étrangère, qu'il n'était pas nécessaire pour eux de courir les marchés pour dénicher la dernière boîte de Minute Rice. Nous ne pouvions ni leur parler ni les écouter. Mais l'essentiel y était. Il y avait de la générosité et de la gratitude dans chacun de ces grains de riz laissés dans nos assiettes. Je me demande encore aujourd'hui si les mots n'auraient pas entaché ces moments de grâce. Et si, parfois, les sentiments ne sont pas mieux compris dans le silence, comme celui qui existait entre Claudette et monsieur Kiet. Leurs premiers moments ensemble furent sans paroles, et pourtant monsieur Kiet accepta de déposer son bébé dans les bras de Claudette sans questionnement : un bébé, son bébé, qu'il avait retrouvé sur la plage, après que son bateau s'était enroulé dans une vague trop gourmande. Il n'avait pas retrouvé sa femme, seulement son fils, qui vécut sa deuxième naissance sans sa mère. Claudette leur tendit les bras et les garda chez elle pendant des jours, des mois, des années.

JOHANNE M'A TENDU LA MAIN de la même façon. Elle m'a aimée même si je portais une tuque au logo de McDonald's, même si je voyageais en cachette dans un camion-cube avec cinquante autres Vietnamiens pour travailler dans les champs des Cantons-de-l'Est après l'école. Johanne voulait que j'aille à l'école secondaire privée avec elle l'année suivante. Pourtant, elle savait que j'attendais chaque fin d'après-midi, dans la cour de cette même école, les camions des agriculteurs pour aller travailler au noir, ramassant quelques dollars en échange des sacs de haricots cueillis.

Johanne m'a aussi emmenée au cinéma même si je portais une chemise soldée à quatre-vingt-huit cents avec un trou près du bord. Au retour du film *Fame*, elle m'a montré à chanter en anglais la chanson thème : *I sing the body electric...* sans que je comprenne les paroles, ni sa conversation avec sa sœur et ses parents autour de leur foyer. Elle est aussi celle qui m'a relevée de mes premières chutes en patin, qui m'a applaudie et a crié mon nom dans la foule quand Serge, un camarade de classe trois fois plus grand que moi, m'a prise dans ses bras avec le ballon de football pour marquer un but.

Je me demande si je ne l'ai pas inventée, cette amie. J'ai rencontré beaucoup de gens qui croient en Dieu, mais moi, je crois aux anges. Et Johanne en était un. Elle faisait partie d'une armée d'anges qui avaient été parachutés sur la ville pour nous donner un traitement de choc. Ils étaient à nos portes par dizaines à nous offrir des vêtements chauds, des jouets, des invitations, des rêves. Je sentais souvent qu'il n'y avait pas assez d'espace en nous pour recevoir tout ce qui nous était offert, pour capter tous les sourires qui nous étaient destinés. Comment visiter le zoo de Granby plus de deux fois par fin de semaine ? Comment apprécier un week-end de camping dans la nature ? Comment savourer une omelette au sirop d'érable ?

J'AI UNE PHOTO DE MON PÈRE enlacé dans les bras de nos « parrains », une famille de bénévoles qui nous avait été assignée. Ils consacraient leurs dimanches à nous emmener dans des marchés aux puces. Ils négociaient haut et fort pour que nous puissions acheter des matelas, de la vaisselle, des lits, des sofas, l'essentiel en somme, avec nos trois cents dollars d'allocation gouvernementale destinée à l'ameublement de notre première demeure au Québec. Un des vendeurs a donné en prime un chandail rouge à gros col roulé à mon père. Il l'a porté fièrement chaque jour de notre premier printemps au Québec. Aujourd'hui, son grand sourire sur la photo réussit à faire oublier la coupe cintrée de ce chandail pour femme. Il est préférable de ne pas tout savoir, parfois.

Évidemment, il y a des moments où nous aurions aimé en savoir davantage. Savoir, par exemple, qu'il y avait des puces dans nos vieux matelas. Mais ces détails sont sans importance puisqu'ils n'apparaissaient pas sur les photos. De toute manière, nous croyions que nous étions immunisés contre les piqûres, qu'aucune puce ne pouvait mordre notre peau cuivrée par le soleil de la Malaisie. Or, les vents froids et les bains chauds nous avaient purifiés, rendant les morsures insupportables et les démangeaisons sanglantes.

Nous avons jeté ces matelas sans en informer nos parrains. Nous ne voulions pas les attrister parce qu'ils nous avaient donné leur cœur, leur temps. Nous appréciions leur générosité, mais insuffisamment : nous ne connaissions pas encore le prix du temps, sa juste valeur, sa grande rareté.

PENDANT TOUTE UNE ANNÉE, Granby a représenté le paradis terrestre. Je ne pouvais imaginer une meilleure place dans le monde, même si nous y étions mangés par les mouches autant que dans notre camp de réfugiés. Un botaniste local nous a emmenés, les petits, dans des marécages où les quenouilles poussaient par milliers, pour nous montrer les insectes. Il ne savait pas que nous avions tous côtoyé des mouches pendant des mois au camp de réfugiés. Elles s'agrippaient aux branches d'un arbre mort près des fosses septiques, à côté de notre cabane. Elles se plaçaient l'une contre l'autre autour des branches comme les baies d'une grappe de poivrier, ou comme des raisins de Corinthe. Elles étaient tellement nombreuses, tellement géantes qu'elles n'étaient pas obligées de voler pour être devant nos yeux, dans notre vie. Nous n'avions pas besoin de nous taire pour les entendre, alors que notre guide botaniste chuchotait pour écouter les bourdonnements, pour essayer de les comprendre.

JE CONNAIS LE CHANT des mouches par cœur. Je n'ai qu'à fermer les yeux pour les réentendre tourner autour de moi parce que, pendant des mois, je devais m'accroupir en petit bonhomme à dix centimètres au-dessus d'un bain géant rempli à ras bord d'excréments sous le soleil brûlant de la Malaisie. Je devais regarder l'indescriptible couleur brune sans cligner des yeux pour éviter de glisser sur les deux planches, derrière la porte d'une des seize cabines, chaque fois que j'y mettais mes pieds. Il fallait maintenir l'équilibre, ne pas m'évanouir lorsque mes propres selles ou celles de la cabine voisine provoquaient une éclaboussure. Dans ces instants-là, je m'évadais en écoutant le vol des mouches. Une fois, j'ai perdu ma babouche entre les planches après avoir déplacé mon pied trop rapidement. Elle a plongé dans cette bouillie sans s'y enfoncer. Elle y flottait comme un bateau à la dérive.

JE SUIS RESTÉE PIEDS NUS pendant des jours, en attendant que ma mère me trouve une babouche orpheline d'un autre enfant qui avait aussi perdu l'une des siennes. Je marchais directement sur la terre glaise où les vers avaient rampé une semaine auparavant. À chacune des grandes pluies, ils sortaient de la fosse septique par centaines de milliers, comme s'ils avaient été appelés par un messie. Ils se dirigeaient tous vers le flanc de notre colline et l'escaladaient sans jamais se fatiguer, sans jamais tomber. Ils rampaient jusqu'à nos pieds, tous au même rythme, transformant le rouge de la terre glaise en un ondoyant tapis blanc. Ils étaient tellement nombreux que nous déclarions forfait avant même de leur livrer combat. Ils devenaient invincibles et nous, vulnérables. Alors, nous les laissions étendre leur territoire jusqu'à la fin de la pluie, moment où ils devenaient à leur tour vulnérables.

QUAND LES COMMUNISTES sont entrés dans Saigon, ma famille leur a cédé la moitié de notre propriété parce que nous étions devenus vulnérables. Un mur de brique a été érigé pour établir deux adresses : une pour nous et une pour le poste de police du quartier.

Un an plus tard, les autorités de la nouvelle administration communiste sont revenues vider notre moitié de maison, nous vider. Des inspecteurs sont entrés dans notre cour sans avis, sans mandat, sans raison. Ils ont demandé à tous ceux qui étaient présents de se rassembler au salon. Mes parents étaient absents, alors les inspecteurs les ont attendus assis sur le bord des fauteuils Arts déco, le dos droit, sans toucher une seule fois les deux carrés de lin blanc, chargés de broderies fines, qui ornaient les accoudoirs. Ma mère a été la première à apparaître derrière la porte vitrée en fer forgé. Elle portait sa minijupe blanche plissée et ses souliers de course. Mon père, derrière elle, traînait des raquettes de tennis, le visage encore en sueur. L'arrivée impromptue de ces inspecteurs nous a projetés dans le présent, alors que nous savourions encore les derniers moments du passé. Tous les adultes de la maisonnée ont été sommés de rester au salon pendant que les inspecteurs commençaient leur travail d'inventaire.

Nous, les enfants, nous pouvions les suivre d'un étage à l'autre, d'une chambre à l'autre. Ils ont scellé les commodes, les armoires, les coiffeuses, les coffres-forts. Ils ont même scellé la grande armoire à soutiens-gorge de ma grand-mère et de ses six filles, sans y inscrire la description du contenu. J'ai alors pensé que le jeune inspecteur était gêné à l'idée de toutes ces filles aux seins ronds assises au salon, habillées de ces fines dentelles importées de Paris. J'ai aussi pensé qu'il laissait la feuille vierge, sans description du contenu de l'armoire, parce qu'il était trop accablé par le désir pour écrire sans trembler. Mais j'étais dans l'erreur : il ne connaissait pas l'utilité de ces soutiens-gorge. Selon lui, ils ressemblaient aux filtres à café de sa mère, faits de tissu cousu autour d'un anneau en métal dont un bout torsadé servait de manche.

Au pied du pont Long Biên qui traverse le fleuve Rouge à Hanoi, tous les soirs, sa mère remplissait son filtre de café avant de le tremper dans sa cafetière en aluminium pour en vendre quelques tasses aux passants. L'hiver, elle déposait les verres, qui contenaient à peine trois gorgées, dans un bol rempli d'eau chaude afin de les garder tièdes pendant la conversation des hommes assis sur ses bancs à peine surélevés du sol. Ses clients la repéraient à la flamme de sa minuscule lampe à huile, placée sur sa minuscule table de travail à côté de trois cigarettes présentées dans une assiette. Chaque matin, le jeune inspecteur encore enfant se réveillait avec, juste au-dessus de sa tête, le filtre à café au tissu brun reprisé maintes fois, accroché à un clou et parfois encore humide. Je l'ai entendu discuter avec les autres inspecteurs dans un coin de l'escalier. Il ne comprenait pas pourquoi ma famille avait autant de filtres à café classés dans des tiroirs tapissés de papier de soie. Et pourquoi étaient-ils doubles ? Est-ce parce que les cafés se prennent toujours en compagnie d'un ami ?

CE JEUNE INSPECTEUR, il avait marché dans la jungle depuis l'âge de douze ans, pour aller libérer le sud du Vietnam des mains « poilues » des Américains. Il avait dormi dans des tunnels souterrains, passé des journées entières dans des étangs sous un nénuphar, vu les corps de camarades sacrifiés pour empêcher le glissement des canons, vécu des nuits de malaria au milieu du bruit des hélicoptères et des explosions. À l'exception des dents laquées de noir, couleur de jais, de sa mère, il avait oublié le visage de ses parents. Alors, comment aurait-il pu deviner la fonction d'un soutien-gorge ? Les filles et les garçons de la jungle possédaient tous exactement les mêmes biens : un casque vert, des sandales faites de lanières de pneus usés, un uniforme et un foulard à carreaux noirs et blancs. L'inventaire de leurs avoirs prenait trois secondes, contrairement au nôtre, qui dura un an. Nous avons dû partager notre espace, en accueillant dix de ces filles et garçons soldats inspecteurs dans notre demeure. Nous leur avons laissé un étage. Nous habitions chacun notre coin de maison en évitant les contacts, sauf durant les fouilles quoti-diennes, où nous étions obligés d'être les uns en face des autres. Ils devaient s'assurer que nous ne possédions plus que l'essentiel, comme eux.

Un jour, nos dix chambreurs nous ont traînés dans leur salle de bains, nous accusant d'avoir volé un poisson qu'ils avaient reçu pour leur repas du soir. Ils désignaient la cuvette des toilettes pour nous expliquer que le poisson y était ce matin-là, vivant et en santé. Qu'était-il advenu de lui ?

GRÂCE À CE POISSON, nous avons pu établir une communication. Mon père les a par la suite corrompus en leur faisant écouter de la musique en cachette. J'étais assise sous le piano, dans l'ombre, à regarder les larmes rouler sur leurs joues, là où les horreurs de l'Histoire s'étaient carrées, gravées sans hésiter. Après cet incident, nous ne savions plus s'ils étaient des ennemis ou des victimes, si nous les aimions ou les détestions, si nous les craignions ou en avions pitié. Et eux ne savaient plus s'ils nous avaient libérés des Américains ou si, au contraire, nous les avions libérés de la jungle vietnamienne.

Mais, très vite, cette musique qui déliait leurs poings s'est retrouvée dans un feu, sur la terrasse du toit de la maison. Ils avaient reçu l'ordre de brûler les livres, les chansons, les films, tout ce qui trahissait l'image de ces hommes et de ces femmes aux bras musclés brandissant leurs fourches, leurs marteaux et leur drapeau rouge à l'étoile jaune. Très vite, ils remplissaient le ciel de fumée, de nouveau.

Beaucoup de choses ont changé depuis que ce mur de brique a été érigé entre nous et les communistes. Je suis retournée au Vietnam travailler avec ceux qui sont à l'origine de ce mur, qui ont imaginé cet outil pour briser des centaines de milliers de vies, peut-être même des millions. Certes, nombreux ont été les revirements depuis que les chars d'assaut ont roulé pour la première fois dans la rue longeant notre maison, en 1975. Depuis, j'ai même appris le vocabulaire communiste de nos anciens assaillants parce que le mur de Berlin est tombé, parce que le rideau de fer a été levé, parce que je suis encore trop jeune pour rester accablée par le passé. Seulement, il n'y aura jamais de mur de brique dans ma maison. Je ne partage toujours pas l'amour qu'ont les gens autour de moi pour les murs de brique. Ils disent qu'ils réchauffent la pièce.

LE JOUR OÙ J'AI REJOINT mon affectation à Hanoi, je suis passée devant une minuscule pièce ouverte sur la rue. À l'intérieur, un homme et une femme disposaient des briques en un muret qui scindait la pièce en deux. Le muret grandissait, jour après jour, jusqu'à toucher le plafond. Ma secrétaire m'a raconté que c'était l'histoire de deux frères qui ne voulaient plus partager le même toit. La mère était restée impuissante devant cette séparation, peut-être parce qu'elle avait elle-même érigé des murs semblables trente ans plus tôt entre les vainqueurs et les vaincus. Elle est décédée durant mon séjour de trois ans à Hanoi. En héritage, elle a laissé à l'aîné le ventilateur sans interrupteur et au cadet l'interrupteur sans ventilateur.

IL EST VRAI que le mur de brique entre ces deux frères ne se compare pas à celui qui existait entre ma famille et les soldats communistes, ces deux murs ne portent pas non plus la même histoire que celle des vieilles maisons québécoises, et chaque mur a son récit. C'est grâce à ce recul que j'ai réussi à partager des repas avec ceux qui furent le bras droit et le bras gauche de Hồ Chí Minh sans voir la rancune planer, sans voir des femmes voyager en train avec leur vieille boîte de lait en poudre Guigoz dans les mains, comme s'il s'agissait d'un vase de potion magique. Pour les hommes enfermés dans les camps de rééducation, il s'agissait d'une potion magique, même si ces boîtes ne renfermaient que de la viande rissolée (*thịt chà bông*) : un kilo de porc rôti, effiloché fibre par fibre, séché à la braise toute la nuit, salé et resalé avec du nướớc mắm obtenu après deux jours de queue, d'espoir et de désespoir. Les femmes mettaient leur dévouement dans ces filaments de porc, même si elles n'étaient pas certaines de retrouver le père de leurs enfants dans le camp qu'elles partaient visiter, ne sachant pas s'il était vivant ou mort, blessé ou malade. En souvenir de ces femmes, je prépare de temps à autre cette viande rissolée pour mes fils, afin de préserver, de répéter, ces gestes d'amour.

L'AMOUR tel que mon fils Pascal le connaît se définit par le nombre de cœurs dessinés sur une carte ou par le nombre d'histoires de dragons racontées sous une couverture de duvet avec une lampe de poche. Je dois attendre encore quelques années avant de pouvoir lui rapporter qu'en d'autres temps, d'autres lieux, l'amour d'un parent se révélait dans l'abandon volontaire de ses enfants, comme les parents du Petit Poucet. De la même manière, la mère qui me faisait glisser sur l'eau à l'aide de sa longue perche au milieu des grands pics montagneux de Hoa Lu' a voulu abandonner sa fille, me la donner. Elle a voulu que je la remplace. Elle préférait pleurer l'absence de son enfant que de la voir courir après les touristes pour leur vendre des nappes qu'elle avait brodées. J'étais une jeune fille à ce moment-là. Je ne voyais au milieu de ces montagnes rocheuses qu'un paysage majestueux au lieu de l'amour infini de cette mère. Il y a des nuits où je cours sur les longues bandes de terre à côté des buffles pour la rappeler, pour prendre la main de sa fille dans la mienne.

J'ATTENDS QUE PASCAL vieillisse encore de quelques années avant d'attacher l'histoire de cette mère de Hoa Lu' à celle du Petit Poucet. En attendant, je lui raconte l'histoire du cochon qui a voyagé dans un cercueil pour traverser des postes de surveillance entre la campagne et les villes. Il aime m'entendre imiter les pleureuses du cortège funèbre qui se jetaient corps et âme sur la longue caisse de bois en se lamentant, alors que les fermiers, habillés tout de blanc, bandeau autour de la tête, tentaient de les retenir, de les consoler devant des inspecteurs habitués à la mort. Une fois en ville, derrière les portes fermées d'une adresse clandestine toujours changeante, les fermiers remettaient le cochon au boucher, qui le divisait en morceaux. Les marchands les attachaient par la suite autour de leurs cuisses et de leur taille pour les transporter jusqu'au marché noir, jusqu'aux familles, jusqu'à nous.

Je raconte ces anecdotes à Pascal pour garder en mémoire un pan d'histoire qui ne trouvera jamais sa place sur les bancs d'école.

JE ME SOUVIENS d'élèves à l'école secondaire qui se plaignaient de leur cours d'histoire obligatoire. Jeunes comme nous l'étions, nous ne savions pas que ce cours était un privilège que seuls les pays en paix peuvent s'offrir. Ailleurs, les gens sont trop préoccupés par leur survie quotidienne pour prendre le temps d'écrire leur histoire collective. Si je n'avais pas vécu dans le silence majestueux des grands lacs gelés, dans le plat quotidien de la paix, dans l'amour célébré en ballons, en confettis, en chocolats, je n'aurais probablement jamais remarqué cette vieille femme qui habitait à proximité du tombeau de mon arrière-grand-père, dans le delta du Mékong. Elle était très vieille, tellement vieille que la sueur coulait dans ses rides comme un ru qui trace un sillon dans la terre. Elle avait le dos courbé, tellement courbé qu'elle était obligée de descendre les marches à reculons pour ne pas perdre l'équilibre et débouler la tête la première. Combien de grains de riz avait-elle plantés ? Combien de temps avait-elle gardé ses pieds dans la boue ? Combien de soleils avait-elle vus se coucher sur sa rizière ? Combien de rêves avait-elle écartés pour se retrouver pliée en deux, trente ans, quarante ans plus tard ?

On oublie souvent l'existence de toutes ces femmes qui ont porté le Vietnam sur leur dos pendant que leurs maris et leurs fils portaient les armes sur le leur. On les oublie parce que, sous leur chapeau conique, elles ne regardaient pas le ciel. Elles attendaient seulement que le soleil tombe sur elles pour pouvoir s'évanouir plutôt que s'endormir. Si elles avaient pris le temps de laisser le sommeil venir à elles, elles se seraient imaginé leurs fils réduits en mille morceaux ou le corps de leurs maris flottant sur une rivière telle une épave. Les esclaves des Amériques savaient chanter leur peine dans les champs de coton. Ces femmes, elles, laissaient leur tristesse grandir

46

dans les chambres de leur cœur. Elles s'alourdissaient tellement de toutes ces douleurs qu'elles ne pouvaient plus se relever. Elles ne pouvaient plus redresser leur échine arquée, ployée sous le poids de leur tristesse. Quand les hommes sont sortis de la jungle et ont recommencé à marcher sur les digues de terre autour de leurs rizières, les femmes ont continué à porter le poids de l'histoire inaudible du Vietnam sur leur dos. Très souvent, elles se sont éteintes ainsi sous cette lourdeur, dans le silence.

Une de ces femmes, que j'ai connue, est décédée en perdant pied dans ses toilettes, juchées au-dessus d'un étang rempli de barbottes. Ses babouches en plastique ont glissé. Si quelqu'un l'avait observée à ce moment-là, il aurait vu son chapeau conique disparaître derrière les quatre panneaux qui cachaient à peine son corps accroupi et l'entouraient sans la protéger. Elle est morte dans la fosse septique familiale, sa tête plongeant dans un trou d'excréments entre deux planches de bois, derrière sa hutte, entourée de poissons-chats à la chair jaune, à la peau lisse, sans écailles, sans mémoire.

APRÈS LE DÉCÈS de cette vieille dame, tous les dimanches, j'allais au bord d'un étang à lotus en banlieue de Hanoi, où il y avait toujours deux ou trois femmes au dos arqué, aux mains tremblantes, qui, assises dans le fond d'une barque ronde, se déplaçaient sur l'eau à l'aide d'une perche pour placer des feuilles de thé à l'intérieur des fleurs de lotus ouvertes. Elles y retournaient le jour suivant pour les recueillir, une à une, avant que les pétales se fanent, après que les feuilles emprisonnées avaient absorbé le parfum des pistils pendant la nuit. Elles me disaient que chaque feuille de thé conservait ainsi l'âme de ces fleurs éphémères.

LES PHOTOS n'ont pas su conserver l'âme de nos premiers sapins de Noël. Les branches ramassées dans les bois de la banlieue montréalaise, piquées dans le trou de la jante d'une roue de secours recouverte d'un drap blanc, semblent dégarnies et sans magie, mais en réalité elles étaient beaucoup plus belles que nos sapins de huit pieds d'aujourd'hui.

Mes parents nous rappellent souvent, à mes frères et à moi, qu'ils n'auront pas d'argent à nous laisser en héritage, mais je crois qu'ils nous ont déjà légué la richesse de leur mémoire, qui nous permet de saisir la beauté d'une grappe de glycine, la fragilité d'un mot, la force de l'émerveillement. Plus encore, ils nous ont offert des pieds pour marcher jusqu'à nos rêves, jusqu'à l'infini. C'est peut-être suffisant comme bagage pour continuer notre voyage par nous-mêmes. Sinon, nous encombrerions inutilement notre trajet avec des biens à transporter, à assurer, à entretenir.

Un dicton vietnamien dit : « Seuls ceux qui ont des cheveux longs ont peur, car personne ne peut tirer les cheveux de celui qui n'en a pas. » Alors, j'essaie le plus possible de n'acquérir que des choses qui ne dépassent pas les limites de mon corps.

DE TOUTE MANIÈRE, depuis notre fuite en bateau, nous avons appris à voyager très léger. Le monsieur assis à côté de mon oncle dans la cale du bateau ne possédait aucun bagage, même pas un petit sac avec des vêtements chauds, comme nous. Il transportait tout sur lui. Il avait un maillot de bain, un short, un pantalon, un t-shirt, une chemise et un chandail sur le dos, et le reste dans ses orifices : des diamants encastrés dans les molaires, de l'or sur les dents et des dollars américains enroulés dans l'anus. Une fois en mer, nous avons vu des femmes défaire leurs serviettes hygiéniques pour en retirer des dollars américains parfaitement pliés en trois sur la longueur.

Moi, je portais un bracelet en acrylique à prothèse, rose comme la gencive des dentiers. Il était rempli de diamants. Mes parents avaient également inséré des diamants dans le col des chemises de mes frères. Mais nous n'avions pas d'or sur les dents, car il était interdit de toucher aux dents des enfants de ma mère. Elle nous disait souvent que les dents et les cheveux sont les racines, ou peut-être la source originelle, d'une personne. Ma mère voulait une dentition parfaite pour nous.

C'est pour cette raison que même dans un camp de réfugiés, elle a réussi à trouver une paire de pinces dentaires pour nous enlever nos dents de lait branlantes. Elle brandissait chaque fois devant nous la dent arrachée sous le soleil brûlant de la Malaisie. Ces dents maculées de sang étaient fièrement exhibées, avec en toile de fond une plage au sable fin et une clôture de fils barbelés. Ma mère me disait qu'il serait possible d'agrandir mes yeux et peut-être même de réparer mes oreilles trop décollées. Mais elle ne pourrait pas refaire les autres imperfections structurelles de mon visage. Alors, il fallait au moins avoir des dents irréprochables, ne surtout pas les troquer contre des diamants. Elle savait aussi que si notre bateau avait été intercepté par des pirates thaïlandais, les dents en or et les molaires diamantées auraient été arrachées.

LA POLICE AVAIT L'ORDRE de laisser partir «clandestinement» tous les bateaux qui transportaient des Vietnamiens d'origine chinoise. Les Chinois étaient des capitalistes, donc anticommunistes de par leur origine ethnique, de par leur accent. Alors, les inspecteurs avaient le droit de les fouiller, de les déposséder jusqu'à la dernière minute, jusqu'à l'humiliation. Ma famille et moi, nous sommes devenus chinois. Nous avons réclamé les gènes de mes ancêtres pour pouvoir nous en aller avec le consentement tacite de la police.

MON ARRIÈRE-GRAND-PÈRE maternel était chinois. Il est arrivé au Vietnam par hasard à l'âge de dix-huit ans, s'est marié avec une Vietnamienne et a eu huit enfants. Quatre de ses enfants ont choisi d'être vietnamiens et les quatre autres, chinois. Les quatre Vietnamiens, dont mon grand-père, sont devenus des politiciens et des scientifiques. Les quatre Chinois ont prospéré dans le commerce du riz. Même si mon grand-père est devenu préfet, il n'a pas réussi à convaincre ses quatre frères et sœurs chinois d'envoyer leurs enfants à l'école vietnamienne. Et le clan vietnamien ne parlait pas du tout le szechuanais. La famille était divisée en deux, le pays aussi : du côté sud, les proaméricains, du côté nord, les communistes.

MON ONCLE CHUNG, le grand frère de ma mère, faisait le pont entre les deux clans culturels, entre les deux camps politiques. D'ailleurs, son nom veut dire « ensemble », mais je l'appelle oncle Deux parce que les Vietnamiens du Sud ont cette tradition de remplacer le nom des frères et sœurs par l'ordre des naissances, mais en commençant par le numéro 2.

Oncle Deux, le fils aîné de la famille, était député et chef de l'opposition. Il appartenait à un parti politique formé de jeunes intellectuels qui se situaient dans un troisième camp, celui qui défiait debout entre les deux lignes de tirs. Le gouvernement proaméricain avait permis la naissance de ce parti politique pour apaiser la colère et le tapage des jeunes idéalistes. Mon oncle avait été propulsé en tête d'affiche sur la place publique. D'un côté, il séduisait les membres de son équipe avec son programme politique. De l'autre, grâce à son allure de jeune premier, il représentait l'espoir d'un semblant de démocratie auprès de ses électeurs. Il avait fait sauter la frontière entre la famille chinoise et la vietnamienne avec sa fougue insouciante et son charisme de jeune mâle. Il était de ceux qui pouvaient en même temps discuter de l'impact d'une pénurie de papier sur la liberté de la presse avec un ministre et entourer la taille de la femme de celui-ci pour la faire valser, même si les Vietnamiennes ne valsaient pas.

PENDANT TOUTE MON ENFANCE, j'ai souhaité secrètement être la fille d'oncle Deux. Sa fille Sao Mai était sa princesse, même s'il oubliait parfois son existence pendant des jours. Sao Mai était vénérée par ses parents comme une *prima donna*. Oncle Deux organisait souvent des fêtes à la maison. Et souvent, au milieu de la soirée, il mettait fin à toute conversation pour placer sa fille sur le banc du piano et présenter la petite mélodie qu'elle allait jouer. À ses yeux, pendant ces deux courtes minutes de *Au clair de la lune*, il n'existait que cette poupée aux doigts dodus pianotant avec la plus grande aise devant une foule d'adultes. Chaque fois, je m'assoyais sous l'escalier pour mémoriser le baiser de mon oncle sur le nez de Sao Mai durant les applaudissements de ses invités. Il lui accordait seulement deux minutes d'attention, de temps à autre, mais c'était suffisant pour que ma cousine possède une force intérieure que je n'avais pas. Peu importait que son ventre fût vide ou plein, Sao Mai n'hésitait jamais à donner des ordres à ses grands frères et à moi.

MA COUSINE SAO MAI ET MOI avons été élevées ensemble. J'étais soit chez elle, soit chez moi avec elle. Chez elle, il arrivait parfois qu'il ne reste plus un seul grain de riz. Quand ses parents s'absentaient, leurs bonnes aussi disparaissaient, souvent avec le pot de riz. Et ils s'absentaient souvent, ses parents. Un jour, son grand frère nous a nourris avec du vieux riz collé au fond d'une casserole. Il y avait ajouté un peu d'huile et des échalotes pour en faire un repas. Nous étions cinq à grignoter cette galette séchée. Certains autres jours, nous étions ensevelis sous des montagnes de mangues, de longanes, de litchis, de rosette de Lyon, de choux à la crème.

Les parents de ma cousine achetaient selon la couleur d'un fruit ou le parfum d'une épice, ou tout simplement sous l'impulsion du moment. La nourriture qu'ils rapportaient était toujours entourée d'une aura de fête, de décadence, de fièvre. Ils ne se tracassaient pas pour le pot de riz vide dans la cuisine, ni pour les poèmes que nous devions apprendre par cœur. Ils voulaient juste que nous nous gavions de mangues, que nous mordions dans ces fruits en faisant gicler leur jus, en tournant sur nous-mêmes et autour d'eux comme des toupies sur la musique des Doors, de Sylvie Vartan, de Michel Sardou, des Beatles, de Cat Stevens…

CHEZ MOI, les repas étaient toujours prêts, les bonnes présentes, les devoirs surveillés. Contrairement aux parents de Sao Mai, ma mère ne nous donnait que deux mangues à partager entre mes deux frères et moi, malgré les douzaines qui restaient dans le panier. Si nous ne nous entendions pas sur les portions, elle les reprenait et nous en privait, jusqu'à ce que nous trouvions un compromis pour partager inégalement les deux mangues entre nous trois. Alors, je préférais parfois manger du riz sec avec mes cousins.

J'AI VOULU DEVENIR très différente de ma mère, jusqu'au jour où j'ai décidé de faire partager la même chambre à mes deux fils, même s'il y avait deux autres pièces vides dans la maison. Je voulais qu'ils apprennent à se soutenir l'un l'autre comme mes frères et moi l'avions fait. Quelqu'un m'a dit que les liens se tissent avec les rires, mais encore plus avec le partage, les frustrations du partage. C'est peut-être parce que les pleurs de l'un entraînaient les pleurs de l'autre, au milieu de la nuit, que mon fils autiste a finalement pris conscience de la présence de Pascal, un grand frère qu'il avait ignoré pendant ses trois ou quatre premières années. Aujourd'hui, il tire un plaisir palpable à se lover dans les bras de Pascal, à se cacher derrière lui devant les étrangers. C'est peut-être grâce à tous ces sommeils interrompus, dérangés, que Pascal met volontairement son soulier gauche avant le droit pour accommoder la rigidité obsessionnelle de son frère, pour que son frère puisse commencer sa journée sans irritations, sans perturbations indues.

MA MÈRE avait donc probablement raison de nous obliger aux exercices de partage, non seulement entre mes frères et moi, mais aussi entre nous et nos cousins. Je partageais ma mère avec ma cousine Sao Mai parce qu'elle avait pris sous sa responsabilité l'éducation de cette nièce. Nous allions donc à la même école, comme des jumelles, assises sur le même banc dans la même classe. Parfois, ma cousine remplaçait notre maîtresse pendant son absence et se retrouvait debout sur le bureau de celle-ci, brandissant sa grande règle. Elle avait cinq ou six ans, comme nous tous, mais n'était aucunement intimidée par cette règle parce que, contrairement à nous, elle avait toujours été mise sur un piédestal. Alors que moi, je faisais pipi dans ma culotte parce que je n'osais pas lever la main, parce que je n'osais pas marcher jusqu'à la porte avec tous les yeux rivés sur moi. Ma cousine terrassait ceux qui copiaient mes réponses. Elle foudroyait ceux qui se moquaient de mes larmes. Elle me protégeait parce que j'étais son ombre.

Elle traînait son ombre partout avec elle, mais parfois elle me faisait courir derrière elle comme un chien, juste pour rire.

QUAND J'ÉTAIS AVEC SAO MAI – et j'étais toujours avec Sao Mai –, les serveurs de l'ancien Cercle sportif de Saigon ne m'offraient jamais de soda lime après mes leçons de tennis, parce qu'ils en avaient déjà apporté à Sao Mai. À l'intérieur des grandes clôtures de ce chic club, il n'existait que deux catégories de gens bien distinctes : l'élite et les serviteurs, les enfants rois aux habits parfaitement blancs et les petits ramasseurs de balles aux pieds nus. Moi, je ne faisais partie d'aucune d'elles. J'étais seulement l'ombre de Sao Mai. Je me déplaçais derrière elle pour pouvoir épier les conversations de son père avec ses partenaires de tennis à l'heure du thé. Il nous parlait de Proust en mangeant des madeleines, calé dans son fauteuil de rotin, sur la terrasse du Cercle sportif de Saigon. Il nous décrivait les chaises du jardin du Luxembourg avec le même engouement que les jambes interminables des danseuses de cancan. Il nous faisait voyager à travers ses souvenirs d'étudiant étranger à Paris. Je l'écoutais derrière sa chaise sans respirer, comme une ombre, pour qu'il n'arrête pas.

MA MÈRE SE FÂCHAIT SOUVENT de me voir aussi effacée. Elle me disait que je devais sortir de l'ombre, travailler sur mes reliefs pour que la lumière puisse s'y refléter. Chaque fois qu'elle essayait de me sortir de l'ombre, de mon ombre, je me noyais dans les pleurs jusqu'à l'épuisement, jusqu'à ce qu'elle m'abandonne sur la banquette arrière de la voiture, endormie dans la chaleur torride de Saigon. Je passais plus de temps dans les entrées de stationnement des gens que dans leur salon. Parfois, je me réveillais au bruit des enfants tourbillonnant innocemment autour de la voiture, la langue tirée, ricanant. Ma mère croyait que mes muscles se fortifieraient à force de me débattre. Au fil du temps, elle a réussi à faire de moi une femme, mais jamais une princesse.

de ne pas m'avoir élevée comme une princesse, parce qu'elle n'est pas ma reine comme oncle Deux a été roi auprès de ses enfants. Il a gardé le statut de roi jusqu'à sa mort, même s'il n'a jamais signé un examen, lu un bulletin ni lavé les mains sales de ses enfants. Il arrivait parfois que ma cousine et moi ayons la chance de voyager à bord de la Vespa de mon oncle, ma cousine debout à l'avant, moi assise derrière. Sao Mai et moi, nous l'avons attendu à maintes reprises, longtemps, sous le tamarinier devant notre école primaire, jusqu'à ce que le concierge ferme les portes derrière nous avec un cadenas. Même les vendeurs de mangues marinées, de goyaves au sel pimenté, de jicama rafraîchi avaient déjà quitté le trottoir devant l'école quand, éblouies par le soleil couchant, Mai et moi le voyions arriver au loin, cheveux au vent, arborant un sourire enflammé, incomparable.

Il nous prenait dans ses bras et, du coup, non seulement nous nous transformions en princesses, mais nous étions aussi les plus belles, les plus prisées à ses yeux. Ce moment d'euphorie ne durait que le temps du trajet : très vite il se retrouvait avec une femme dans les bras, presque jamais la même, qui devenait à son tour sa princesse du moment. Nous l'attendions au salon jusqu'à ce que la nouvelle princesse cesse d'être princesse. Chacune de ces femmes a eu la satisfaction de penser qu'elle était son élue, même si elle savait très bien qu'elle était seulement une parmi d'autres.

MES PARENTS CRITIQUAIENT beaucoup la désinvolture d'oncle Deux. C'est pourquoi, sans même qu'oncle Deux me l'ait demandé, je ne leur ai jamais raconté les longues attentes devant l'école ni les soirées dans les salons de femmes inconnues. Si je l'avais dénoncé, il n'aurait plus eu le droit de venir nous chercher. J'aurais perdu la chance d'être princesse, de voir mon baiser se transformer en fleur sur sa joue. Trente ans plus tard, ma mère aimerait que je dépose sur ses joues à elle ces mêmes baisers en fleurs. Peut-être suis-je devenue une princesse à ses yeux. Mais moi, je suis seulement sa fille, uniquement sa fille.

DU QUÉBEC, ma mère a envoyé de l'argent aux fils de mon oncle Deux pour qu'ils puissent partir en bateau comme nous. Après la première vague de *boat people* vers la fin des années 1970, il n'était plus raisonnable d'envoyer des filles en mer, parce que la rencontre avec les pirates était devenue un passage obligé, un rituel du trajet, une meurtrissure inévitable. Alors, seuls les deux garçons aînés sont partis dans l'autobus des fugitifs. Mais ils ont été arrêtés en plein trajet. Leur père, mon oncle, mon roi, les avait dénoncés... Était-ce par peur de les perdre en mer ou par peur de représailles contre lui, en tant que père ? Quand j'y repense, je me dis qu'il n'a jamais pu leur dire qu'il n'a jamais été leur père, qu'il a seulement été leur roi. Il devait avoir peur de se faire montrer du doigt sur la place publique comme anticommuniste. Il avait certainement peur de retourner sur la place publique, qui lui avait appartenu encore peu de temps auparavant. Si j'avais eu une voix à ce moment-là, je lui aurais dit de ne pas les dénoncer. Je lui aurais dit que, moi, je n'avais jamais dénoncé ses retards ni ses escapades.

JEANNE, NOTRE FÉE en maillot et collant rose aux cheveux piqués d'une fleur, a libéré ma voix sans avoir utilisé les mots. Elle nous parlait – à ses neuf Vietnamiens de l'école primaire Sainte-Famille – avec de la musique, avec ses doigts, ses épaules. Elle nous montrait comment occuper l'espace autour de nous en dégageant nos bras, en levant notre menton, en respirant à pleins poumons. Elle papillonnait autour de nous, telle une fée, ses yeux nous caressant l'un après l'autre. Son cou s'allongeait pour former une ligne continue avec son épaule, son bras, jusqu'au bout de ses doigts. Ses jambes faisaient de grands mouvements circulaires comme pour balayer les murs, remuer l'air. C'est grâce à Jeanne que j'ai appris à dégager ma voix des replis de mon corps pour qu'elle puisse atteindre le bout de mes lèvres.

J'AI UTILISÉ MA VOIX pour lire à oncle Deux juste avant son décès, en plein cœur de Saigon, des passages érotiques du livre *Les Particules élémentaires*, de Houellebecq. Je ne désirais plus être sa princesse, j'étais devenue son ange lui rappelant comment il avait plongé mes doigts dans la chantilly des cafés viennois en chantant « *Besame, besame mucho...* ».

Son corps, même une fois froid, même une fois figé, fut entouré non seulement de ses enfants, de ses épouses – l'ancienne et la nouvelle –, de ses frères et sœurs, mais aussi de gens qui lui étaient inconnus. Ils sont venus par milliers pleurer sa mort. Certaines perdaient leur amant, certains perdaient leur journaliste sportif, d'autres perdaient leur ancien député, leur écrivain, leur peintre, leur main au poker.

Parmi toutes ces personnes, il y avait un monsieur, visiblement démuni. Il portait une chemise au col jauni et un pantalon noir plissé retenu par une vieille ceinture. Il se tenait au loin, à l'ombre d'un flamboyant chargé de fleurs rouge feu, à côté d'une bicyclette chinoise tachée de boue. Il avait attendu pendant des heures pour suivre le convoi jusqu'au cimetière, qui était en banlieue de la ville, dans l'enceinte d'un temple bouddhiste. Encore là, il se tenait debout à l'écart, silencieux, sans bouger. Une de mes tantes est allée vers lui et lui a demandé pourquoi il avait pédalé toute cette distance. Connaissait-il mon oncle ? Il a répondu qu'il ne le connaissait pas, mais que c'était grâce à ses mots qu'il vivait, qu'il se levait chaque matin. Lui, il avait perdu son idole. Moi, non. Je ne perdais ni mon idole ni mon roi, seulement un ami qui me racontait ses histoires de femmes, de politique, de peinture, de livres, de frivolités surtout, parce qu'il n'avait pas vieilli avant de mourir. Il avait arrêté le temps en continuant à s'amuser, à vivre jusqu'à la fin avec la légèreté des jeunes adultes.

ALORS, il n'est peut-être pas nécessaire que ma mère soit ma reine, c'est déjà beaucoup qu'elle soit uniquement ma mère, même si mes rares baisers sur ses joues sont moins majestueux.

MA MÈRE ENVIAIT l'irresponsabilité de mon oncle, ou plutôt sa capacité d'être irresponsable. Malgré elle, elle jalousait aussi le statut de roi et de reines de son petit frère et de ses autres sœurs. Comme son frère aîné, ses sœurs sont idolâtrées par leurs enfants pour des raisons diverses, l'une parce qu'elle est la plus belle, l'autre la plus talentueuse, l'autre la plus intelligente... Aux yeux de mes cousins, leur mère est toujours la meilleure. Pour nous tous, incluant mes tantes et mes cousins, ma mère faisait seulement peur. Quand elle était jeune femme, elle représentait la figure d'autorité de la plus haute instance. Elle imposait avec zèle son rôle de sœur aînée auprès de ses petites sœurs, car elle voulait se dégager de son grand frère, qui engloutissait toute présence autour de lui.

Elle s'était approprié les fonctions d'homme de la maison, de ministre de l'Éducation, de mère supérieure, de PDG du clan. Elle prenait les décisions, donnait les punitions, corrigeait les délinquants, faisait taire les contestataires... Mon grand-père, en tant que grand président du Conseil, ne s'occupait pas des tâches quotidiennes. Ma grand-mère jonglait avec ses jeunes enfants et ses fausses couches à répétition. Selon ma mère, oncle Deux incarnait à la fois l'égoïsme et l'égocentrisme. Alors, elle s'est instituée gestionnaire de l'autorité suprême. Je me souviens d'un jour où ma grand-mère n'a même pas osé lui demander de déverrouiller la porte de la salle de bains pour libérer ses petits frère et sœurs, en punition parce qu'ils étaient sortis avec oncle Deux sans la permission de ma mère. Comme elle n'était qu'une jeune fille, elle gérait naïvement son autorité avec une main de fer. Sa vengeance contre l'insouciance de son grand frère et la vénération des petits pour lui était mal planifiée puisque les petits ont continué à s'amuser dans la salle de bains, et ce, sans elle. Toute la frivolité de la jeunesse a glissé entre ses doigts pendant qu'elle interdisait à ses sœurs de danser au nom de la pudeur.

CEPENDANT, depuis les dix dernières années, ma mère a pris goût à la danse. Elle s'est laissé convaincre par ses amis que le tango, le cha-cha-cha, le paso doble remplacent l'exercice physique, qu'ils sont dénués de sensualité, de séduction, d'ivresse. Pourtant, depuis qu'elle va à ses séances hebdomadaires de danse, elle exprime de temps à autre son regret de ne pas avoir enchaîné les journées de campagne électorale avec les soirées où son frère, mon père et des dizaines d'autres jeunes candidats se déridaient autour d'une table. Aussi, aujourd'hui, elle cherche la main de mon père au cinéma et son baiser sur la joue devant les appareils photo.

Ma mère a commencé à vivre, à se laisser emporter, à se réinventer à cinquante-cinq ans.

MON PÈRE, lui, n'a pas eu à se réinventer. Il est de ceux qui ne vivent que dans l'instant, sans attachement au passé. Il savoure chaque instant de son présent comme s'il était toujours le meilleur et le seul, sans le comparer, sans le mesurer. C'est pourquoi il inspirait toujours le plus grand, le plus beau bonheur, qu'il fût sur les marches d'un hôtel avec une vadrouille dans les mains ou assis dans une limousine en réunion stratégique avec son ministre.

J'ai hérité de mon père ce sentiment permanent d'assouvissement. Mais lui, où l'a-t-il trouvé ? Est-ce dû au fait qu'il était le dixième enfant ? Ou à la longue attente du retour de son père enlevé ? Avant que les Français quittent le Vietnam, avant que les Américains y arrivent, les campagnes vietnamiennes étaient terrorisées par différentes factions de voyous implantées par les autorités françaises pour diviser le pays. C'était monnaie courante de vendre aux familles fortunées un clou en échange de la rançon d'une personne kidnappée. Si le clou n'était pas acheté, il était planté dans le lobe d'oreille – ou ailleurs – du kidnappé. Le clou de mon grand-père a été acheté par sa famille. À son retour, il a envoyé ses enfants chez des cousins et des cousines dans les centres urbains pour assurer leur sécurité et leur accès continu à l'éducation. Très tôt, mon père a appris à vivre loin de ses parents, à quitter des lieux, à aimer le temps présent, à ne pas s'attacher au passé.

C'EST POURQUOI il n'a jamais été curieux de connaître sa vraie date de naissance. La date officielle sur son certificat enregistré à la mairie correspond à un jour sans bombardements, sans explosions de mines, sans prises d'otages. Peut-être les parents considéraient-ils que l'existence de leurs enfants commençait le premier jour où la vie normale reprenait son cours, et non pas au moment de leurs premières respirations.

De même, il n'a jamais senti le besoin de revoir le Vietnam après son départ. Aujourd'hui, des gens de sa ville natale lui rendent visite au nom de promoteurs immobiliers pour qu'il aille réclamer le titre de propriété de la maison de son père. Ils disent que dix familles y vivent. La dernière fois que nous l'avons vue, elle était utilisée comme caserne par des soldats communistes recyclés en pompiers. Ces soldats ont fondé leur famille dans cette grande maison. Savent-ils qu'ils vivent dans un bâtiment construit par un ingénieur français, diplômé de l'École nationale des ponts et chaussées ? Savent-ils que cette maison est un remerciement de mon grand-oncle à mon grand-père, son frère aîné, qui l'a envoyé faire ses études en France ? Savent-ils que dix enfants y ont été élevés mais se retrouvent aujourd'hui dans dix villes différentes, parce qu'ils ont été expulsés de leur noyau ? Non, ils ne savent rien. Ils ne peuvent pas savoir : ils sont nés après le retrait des Français, et avant que cette période de l'histoire du Vietnam puisse leur être enseignée. Ils n'avaient même probablement jamais vu le visage d'un Américain de près, sans camouflage, avant que le premier touriste arrive dans leur ville, il y a quelques années. Ils savent seulement que si mon père reprend possession de la maison et la vend à un promoteur, ils recevront une petite fortune, une compensation pour avoir confiné mes grands-parents paternels dans la chambre la plus exiguë de leur propre maison durant les derniers mois de leur vie.

Certains soirs, les pompiers soldats ivres et perdus tiraient à travers le rideau de la fenêtre pour faire taire mon grand-père. Or, mon grand-père avait arrêté de parler depuis son AVC, survenu avant même ma naissance. Je n'ai jamais entendu sa voix.

MON GRAND-PÈRE PATERNEL, je ne l'ai jamais vu autrement que couché, allongé sur un énorme lit de jour en ébène monté sur des pattes sculptées. Il était toujours habillé d'un pyjama parfaitement blanc, sans un seul faux pli. La sœur Cinq de mon père, celle qui a renoncé au mariage pour prendre soin de ses parents, surveillait avec obsession l'hygiène de mon grand-père. Elle ne tolérait aucune tache, aucune trace d'inattention. À l'heure des repas, un serviteur s'assoyait derrière lui pour garder son dos droit, tandis que ma tante lui donnait du riz, une bouchée à la fois. Son repas favori était du riz au porc rôti. Les tranches de porc étaient coupées tellement fin que l'on aurait pu les croire hachées. Mais il ne fallait pas les hacher, seulement les découper en petits carrés de deux millimètres sur deux. Elle les mélangeait avec du riz fumant servi dans un bol bleu et blanc au rebord couvert d'un anneau en argent, pour éviter les ébréchures. Si l'on tendait ces bols devant le soleil, on pouvait voir des parties translucides dans les reliefs. Leur qualité se vérifiait par ces lueurs exposant les nuances de bleu des motifs. Ces bols se sont logés doucement dans le creux des mains de ma tante à chaque repas, chaque jour, pendant des dizaines d'années. Elle en tenait un, fin et chaud, entre ses doigts et y ajoutait quelques gouttes de sauce de soja et une petite noisette de beurre Bretel, importé de France dans une boîte de conserve rouge au lettrage or. J'avais moi aussi droit à ce riz de temps en temps lors de nos visites.

Aujourd'hui, mon père prépare ce plat pour mes fils lorsqu'il reçoit une boîte de beurre Bretel en cadeau d'amis qui reviennent de la France. Mes frères se moquent affectueusement de mon père parce qu'il utilise les superlatifs les plus déraisonnables pour qualifier ce beurre en conserve. Moi, je suis d'accord avec lui. J'aime le parfum de ce beurre parce qu'il me ramène à mon grand-père paternel, celui qui est mort avec des soldats pompiers.

J'aime aussi utiliser ces bols bleus aux anneaux d'argent pour servir de la crème glacée à mes enfants. Ils sont les seuls objets que j'ai cherché à hériter de ma tante, celle qui a été chassée de sa maison après la mort de mes grands-parents paternels. Cette tante est devenue bouddhiste, vivant dans une hutte derrière une plantation de cocotiers, dépouillée de tout bien matériel à l'exception d'un lit de bois sans matelas, d'un éventail en bois de santal et des quatre bols bleus de son père. Elle a hésité pendant un moment avant d'accéder à ma demande : ces bols symbolisaient son dernier attachement aux soucis terrestres. Elle est morte peu après ma visite dans cette hutte, entourée des moines d'un temple voisin.

JE SUIS RETOURNÉE TRAVAILLER au Vietnam pendant trois ans. Pourtant, je ne suis jamais allée visiter la ville natale de mon père, située à deux cent cinquante kilomètres seulement de Saigon. Quand j'étais petite, je faisais ce trajet de douze heures en vomissant, même si ma mère installait des oreillers sur le sol de la voiture pour me stabiliser. Les routes étaient parsemées de crevasses profondes. Les rebelles communistes les minaient la nuit et les militaires proaméricains les déminaient le jour. Parfois, une mine sautait. Il fallait alors attendre des heures que les militaires remplissent les trous et ramassent les restes humains. Un jour, une femme a été déchiquetée, entourée de fleurs de courges jaunes, éparpillées, émiettées. Elle devait certainement être en route vers le marché pour les vendre. Peut-être ont-ils aussi trouvé le corps de son bébé sur le bord de la route. Peut-être que non. Peut-être son mari était-il mort dans la jungle. Peut-être était-ce elle, la femme qui avait perdu son amour devant la maison de mon grand-père maternel, le préfet.

UN JOUR que nous étions plongées dans la noirceur d'un camion-cube en route pour ramasser les fraises, ou les haricots, ma mère m'a raconté qu'une femme, une journalière, attendait son employeur en face de chez mon grand-père maternel chaque matin. Et chaque matin, le jardinier de mon grand-père lui apportait une portion de riz collant, enveloppée dans une feuille de bananier. Chaque matin, debout dans le camion qui la transportait jusqu'aux plantations d'hévéas, elle regardait le jardinier s'éloigner au milieu du jardin de bougainvilliers. Un matin, elle ne l'a pas vu traverser le chemin de terre pour lui apporter son petit-déjeuner. Puis un autre matin... et un autre. Un soir, elle a donné à ma mère une feuille noircie de points d'interrogation, uniquement des points d'interrogation. Rien d'autre. Ma mère ne l'a plus jamais revue dans le camion bondé d'ouvriers. Cette jeune fille n'est jamais retournée ni aux plantations ni au jardin de bougainvilliers. Elle a disparu sans savoir que le jardinier avait demandé en vain à ses parents à lui l'autorisation de l'épouser. Personne ne lui a dit que mon grand-père avait accepté la demande des parents du jardinier de le muter dans une autre ville. Personne ne lui a dit que le jardinier, son amour à elle, avait été forcé de partir sans pouvoir lui laisser de lettre parce qu'elle était analphabète, parce qu'elle était une jeune fille qui voyageait en compagnie des hommes, parce qu'elle avait la peau trop brûlée par le soleil.

MADAME GIRARD avait la même peau brûlée même si elle ne travaillait pas dans les champs de framboises ni dans les plantations. Madame Girard avait engagé ma mère pour faire du ménage chez elle, ne sachant pas que ma mère n'avait jamais tenu un balai dans ses mains avant son premier jour de travail. Madame Girard était blonde platine comme Marilyn Monroe, avec des yeux bleus, bleus, bleus, et monsieur Girard, un grand brun, était le fier propriétaire d'une voiture antique étincelante. Ils nous recevaient souvent dans leur maison blanche au gazon parfaitement tondu, aux fleurs bordant l'entrée, au tapis dans toutes les pièces. Ils étaient la personnification de notre rêve américain.

Leur fille m'invitait à assister à ses concours de patin à roulettes. Elle partageait avec moi ses robes trop petites, dont une robe d'été en coton, toute bleue avec de minuscules fleurs blanches et deux bretelles que l'on attachait à l'épaule. Je l'ai portée pendant l'été, mais aussi pendant l'hiver avec un col roulé blanc en dessous. Durant les premiers hivers, nous ne savions pas que chaque vêtement avait sa saison, qu'il ne fallait pas tout simplement porter les vêtements que nous possédions. Quand nous avions froid, sans faire de discrimination, sans connaître les différentes catégories, nous mettions un vêtement par-dessus l'autre, couche après couche, comme les itinérants.

MON PÈRE A RETROUVÉ la trace de monsieur Girard, trente ans plus tard. Il n'habitait plus la même maison, sa femme l'avait quitté et sa fille était en année sabbatique, à la recherche d'un objectif, d'une vie. Quand mon père m'a rapporté ces nouvelles, je me suis presque sentie coupable. Je me demandais si nous n'avions pas involontairement volé le rêve américain de monsieur Girard à force de l'avoir trop désiré.

J'AI AUSSI RETROUVÉ ma première amie, Johanne, trente ans plus tard. Elle ne m'a pas reconnue, ni au téléphone ni en personne, parce qu'elle ne m'avait jamais entendue parler, parce que nous n'avions jamais conversé auparavant, parce qu'elle m'avait connue sourde et muette. Elle ne se souvenait pas vraiment d'avoir désiré devenir chirurgienne, alors que j'avais toujours répondu aux orienteurs de mon école secondaire que la chirurgie m'intéressait, comme Johanne.

Les orienteurs me convoquaient dans leur bureau chaque année parce qu'il y avait un écart flagrant entre mes notes scolaires et les résultats de mes tests de quotient intellectuel, qui frisaient la déficience. Comment pouvais-je ne pas trouver l'intrus dans la série « seringue, scalpel, crâne et bistouri » alors que je pouvais réciter par cœur le texte sur Jacques Cartier ? Je ne maîtrisais que ce qui m'avait été spécifiquement enseigné, transmis, offert. C'est pourquoi je comprenais le mot « chirurgien » sans connaître le mot « chéri » ou « salon de bronzage » ou « équitation ». Je savais comment chanter l'hymne national mais pas *La Danse des canards,* ni le refrain des anniversaires. J'accumulais les connaissances au hasard, comme mon fils Henri, qui peut prononcer le mot « poire » mais pas « maman », puisque nos parcours d'apprentissage sont atypiques, parsemés de détours et d'embûches, sans gradation ni logique. Je dessinais mes rêves de la même manière, à travers les rencontres, les amis, les autres.

BEAUCOUP D'IMMIGRANTS ont réalisé le rêve américain. Il y a trente ans, peu importait la ville, que ce fût Washington DC, Québec, Boston, Rimouski ou Toronto, nous traversions des quartiers entiers parsemés de jardins de roses, de grands arbres centenaires, de maisons en pierre, mais l'adresse que nous cherchions ne figurait jamais sur l'une de ces portes. Aujourd'hui, ma tante Six et son mari (bel-oncle Six) habitent dans une de ces maisons. Ils voyagent en première classe et doivent coller un papier sur le dossier de leur siège pour que les hôtesses cessent de leur offrir des chocolats et du champagne. Il y a trente ans, dans notre camp de réfugiés en Malaisie, ce même bel-oncle Six rampait moins vite que sa fille de huit mois parce qu'il souffrait de carences alimentaires. Cette même tante Six devait coudre avec une seule aiguille des habits pour acheter du lait à sa fille. Il y a trente ans, nous vivions avec eux dans la noirceur, sans électricité, sans eau courante, sans intimité. Aujourd'hui, nous nous plaignons que leur maison est trop grande, et notre famille étendue, trop petite pour retrouver l'intensité qui habitait nos fêtes – jusqu'au petit matin – quand nous nous réunissions chez mes parents durant nos premières années en Amérique du Nord.

Nous étions vingt-cinq, parfois trente personnes, arrivant à Montréal de Fanwood, de Montpelier, de Springfield, de Guelph, réunies dans un petit appartement de trois chambres pendant tout le congé de Noël. Si quelqu'un voulait dormir seul, il fallait qu'il s'installe dans la baignoire. Autrement, nous étions tous les uns à côté des autres. Inévitablement, les discussions, les rires et les querelles duraient toute la nuit. Chaque cadeau que nous nous offrions était réellement un cadeau car il n'était jamais futile. En fait, chaque cadeau était réellement un cadeau puisqu'il provenait d'abord et avant tout d'un sacrifice et était la réponse à un besoin, à un désir ou à un rêve. Nous connaissions bien les rêves de nos proches : nous étions serrés les uns contre les autres pendant des nuits entières. En ces temps-là, nous avions tous les mêmes rêves. Pendant longtemps, nous avons été obligés d'avoir les mêmes rêves, ceux du rêve américain.

QUAND J'AI EU QUINZE ANS, ma tante Six, qui travaillait alors dans une usine de transformation du poulet, m'a offert une boîte de thé carrée en aluminium sur laquelle il y avait des images de fées chinoises, de cerisiers et de nuages en rouge, or et noir. Ma tante Six avait écrit sur chacun des dix morceaux de papier pliés en deux et insérés dans le thé un métier, une profession, un rêve qu'elle avait pour moi : journaliste, ébéniste, diplomate, avocate, dessinatrice de mode, hôtesse de l'air, écrivaine, travailleuse humanitaire, réalisatrice, politicienne. C'est grâce à ce cadeau que j'ai appris qu'il existait des métiers autres que la médecine, qu'il m'était permis de rêver mon propre rêve.

CEPENDANT, UNE FOIS OBTENU, le rêve américain ne nous quitte plus, comme une greffe, ou une excroissance. La première fois que je suis allée avec mes talons hauts, ma jupe droite et mon porte-documents dans un restaurant-école pour enfants défavorisés à Hanoi, le jeune serveur de ma table n'a pas compris pourquoi je lui parlais en vietnamien. Je croyais au début qu'il ne saisissait pas mon accent du Sud. Mais, à la fin du repas, il m'a dit candidement que j'étais trop grosse pour être une Vietnamienne.

J'ai traduit cette remarque à mes patrons, qui en rient encore aujourd'hui. J'ai compris plus tard qu'il ne parlait pas de mes quarante-cinq kilos, mais de ce rêve américain qui m'avait épaissie, empâtée, alourdie. Ce rêve américain a donné de l'assurance à ma voix, de la détermination à mes gestes, de la précision à mes désirs, de la vitesse à ma démarche et de la force à mon regard. Ce rêve américain m'a fait croire que je pouvais tout avoir, que je pouvais me déplacer en voiture avec chauffeur et, en même temps, mesurer le poids des courges transportées sur une bicyclette rouillée par une femme aux yeux brouillés par la sueur ; que je pouvais danser au même rythme que les filles qui se déhanchaient au bar pour étourdir les hommes aux portefeuilles bien garnis de dollars américains ; que je pouvais vivre dans ma grande villa d'expatriée et accompagner les enfants aux pieds nus jusqu'à leur école installée directement sur le trottoir, à l'intersection de deux rues.

Mais ce jeune serveur m'a rappelé que je ne pouvais tout avoir, que je n'avais plus le droit de me proclamer vietnamienne parce que j'avais perdu leur fragilité, leur incertitude, leurs peurs. Et il avait raison de me reprendre.

À LA MÊME ÉPOQUE, mon patron a découpé dans un journal montréalais un article qui réitérait que la « nation québécoise » était caucasienne, que mes yeux bridés me classaient automatiquement dans une catégorie à part même si le Québec m'avait donné mon rêve américain, même s'il m'avait bercée pendant trente ans. Alors, qui aimer ? Personne ou chacun ? J'ai choisi de les aimer tous, sans appartenir à aucun. J'ai décidé d'aimer le monsieur de Saint-Félicien qui m'a demandé en anglais de lui accorder une danse. « *Follow the guy* », m'a-t-il dit. J'aime aussi le cyclo-pousseur de Danang qui m'a demandé combien j'étais payée en tant qu'escorte de mon mari « blanc ». Et puis, je pense souvent à la vendeuse de tofu à cinq cents le morceau, assise par terre dans un coin caché du marché à Hanoi, qui racontait à ses voisines que j'étais japonaise, que mon vietnamien progressait rapidement.

Elle avait raison. J'ai dû réapprendre ma langue maternelle, que j'avais abandonnée trop tôt. De toute manière, je ne l'avais pas vraiment maîtrisée de façon complète parce que le pays était divisé en deux quand je suis née. Je viens du Sud, alors je n'avais jamais entendu les gens du Nord avant mon retour au pays. De même, les gens du Nord n'avaient jamais entendu les gens du Sud avant la réunification. Comme au Canada, le Vietnam avait aussi ses deux solitudes. La langue du nord du Vietnam avait évolué selon sa situation politique, sociale et économique du moment, avec des mots pour décrire comment faire tomber un avion à l'aide d'une mitraillette installée sur un toit, comment accélérer la coagulation du sang avec du glutamate monosodique, comment repérer les abris quand les sirènes sonnent. Pendant ce temps, la langue du sud avait créé des mots pour exprimer la sensation des bulles du Coca-Cola sur la langue, des termes pour nommer les espions, les rebelles, les sympathisants communistes dans les rues du sud, des noms pour désigner les enfants nés des nuits endiablées des GI.

C'EST GRÂCE AUX GI que mon bel-oncle Six a pu acheter son passage et ceux de sa femme, ma tante Six, et de sa toute petite fille sur le même bateau que nous. Les parents de ce bel-oncle sont devenus très riches grâce à la glace. Les soldats américains en achetaient des blocs entiers d'un mètre de longueur sur vingt centimètres d'épaisseur et de largeur, pour les mettre sous leur lit. Ils avaient besoin de se rafraîchir après avoir sué de peur pendant des semaines dans la jungle vietnamienne. Ils avaient besoin d'être réconfortés par des humains, mais sans sentir la chaleur de leur propre corps ni celle des femmes louées à l'heure. Ils avaient besoin de retrouver le courant d'air frais du Vermont ou du Montana. Ils avaient besoin de se retrouver dans cette fraîcheur pour cesser un instant de soupçonner qu'une grenade était cachée dans les mains de chaque enfant qui venait toucher les poils de leurs bras. Ils avaient besoin de ce froid pour ne pas succomber à toutes ces lèvres pulpeuses qui murmuraient des faux mots d'amour dans le creux de leurs oreilles afin d'y chasser les cris des camarades au corps mutilé. Ils avaient besoin d'être froids pour quitter les femmes qui portaient leurs enfants sans ne plus jamais leur revenir, sans jamais avoir révélé leur nom de famille.

sont devenus des orphelins, des sans-abri, ostracisés par la profession de leur mère, mais aussi par celle de leur père. Ils étaient la face cachée de la guerre. Trente ans après le départ du dernier GI, les États-Unis sont retournés au Vietnam à la place de leurs soldats pour récupérer ces enfants blessés. Ils leur ont accordé une identité toute neuve afin d'effacer celle qui avait été souillée. Plusieurs de ces enfants ont possédé pour la première fois une adresse, une résidence, une vie à part entière. Mais certains ont été incapables de s'approprier une telle richesse.

Un jour, en tant qu'interprète pour la police new-yorkaise, j'ai croisé une de ces enfants devenue adulte. Elle était analphabète, errant dans les rues du Bronx. Elle est arrivée à Manhattan par un autobus venant d'un endroit qu'elle ne pouvait nommer. Elle espérait que cet autobus la transporterait jusqu'à son lit fait de boîtes de carton, installé juste devant le bureau de poste de Saigon. Elle affirmait avec insistance qu'elle était vietnamienne. Même si elle avait la peau café au lait, des cheveux drus bouclés, du sang africain, des cicatrices profondes, elle était vietnamienne, seulement vietnamienne, m'a-t-elle répété sans cesse. Elle m'a suppliée de traduire au policier son désir de retourner dans sa jungle à elle. Mais le policier pouvait seulement la relâcher dans la jungle du Bronx. Si j'avais pu, je lui aurais demandé de se lover contre moi. Si j'avais pu, j'aurais effacé toutes ces traces de mains souillées sur son corps. J'avais le même âge qu'elle, pourtant. Non, je n'ai pas le droit de dire que j'avais le même âge qu'elle : son âge se mesurait en nombre d'étoiles qu'elle voyait pendant les coups et non pas en années, en mois, en jours.

LE SOUVENIR DE CETTE FILLE me hante encore parfois. Je me demande quelles étaient ses chances de survie dans la ville de New York. Si elle y est toujours. Si le policier pense à elle aussi souvent que moi. Peut-être que mon bel-oncle Six, qui est devenu docteur en statistiques à Princeton, pourrait calculer le nombre de risques et d'obstacles qu'elle a vécus.

Je demande souvent à ce bel-oncle de calculer, même s'il n'a jamais calculé les kilomètres parcourus chaque matin pendant tout un été pour m'emmener à mon cours d'anglais, ni la quantité de livres qu'il m'a achetés, ni le nombre de rêves qu'il a construits pour moi avec sa femme. Je me permets de lui demander beaucoup de choses. Mais je n'ai jamais osé lui demander s'il était possible pour lui de calculer les probabilités de survie de monsieur An.

MONSIEUR AN EST ARRIVÉ à Granby dans le même autobus que notre famille. Hiver comme été, monsieur An se tenait dos contre le mur, les pieds sur le garde-corps du balcon, une cigarette entre les doigts. Il était notre voisin de palier. Je l'ai cru muet pendant longtemps. Si je le rencontrais aujourd'hui, je dirais qu'il est autiste. Un jour, son pied a glissé sur la rosée du matin. Et bang, il s'est étalé sur le dos. BANG ! Il a crié « BANG ! » plusieurs fois avant d'éclater de rire. Je me suis agenouillée pour l'aider à se relever. Il s'est appuyé sur moi en tenant mes bras, mais il ne se relevait pas. Il pleurait. Il ne cessait de pleurer. Il s'est arrêté sec en tournant mon visage vers le ciel. Il m'a demandé quelle couleur je voyais. Bleu. Il a alors levé son pouce en l'air et a pointé son index sur ma tempe en me redemandant si le ciel était encore bleu.

AVANT QUE MONSIEUR AN nettoie le plancher de l'usine de bottes de pluie dans le parc industriel de Granby, il avait été juge, professeur, diplômé d'une université américaine, père et prisonnier. Entre l'odeur du caoutchouc et la chaleur de son tribunal à Saigon, il avait été pendant deux ans accusé d'avoir été juge, d'avoir condamné des compatriotes communistes. Dans ce camp de rééducation, cela avait été à son tour de se faire juger, de se faire placer chaque matin dans les rangs avec les centaines d'autres qui étaient, eux aussi, du côté perdant de la guerre.

Ce camp ceinturé par la jungle leur était un lieu de retraite pour évaluer et formuler des autocritiques par rapport à leurs statuts de contre-révolutionnaires, de traîtres à la nation, de collaborateurs des Américains, et pour méditer sur leur rédemption en coupant des arbres, en plantant du maïs, en déminant des champs.

Les jours se suivaient comme les anneaux d'une chaîne dont le premier était attaché autour de leur cou et le dernier au centre de la terre. Un matin, monsieur An a senti sa chaîne se raccourcir quand les soldats l'ont sorti des rangs pour l'agenouiller dans la boue devant les regards fuyants, apeurés et vides de ses anciens collègues aux corps à peine couverts de haillons et de peau. Il m'a dit que lorsque le métal chaud du pistolet a touché sa tempe, en un dernier geste de rébellion, il a levé la tête pour regarder le ciel. Pour la première fois, il voyait les nuances de bleu, aussi intenses les unes que les autres. Et ensemble, elles l'éblouissaient au point de l'aveugler. Au même moment, il entendait le déclic de la détente tomber dans le silence. Aucun bruit, aucune explosion, pas de sang, seulement de la sueur. Cette nuit-là, les nuances de bleu qu'il avait vues plus tôt défilaient devant ses yeux comme la projection d'un film en boucle.

Il y a survécu. Le ciel avait coupé sa chaîne, l'avait sauvé, l'avait libéré alors que certains autres mourraient asphyxiés, asséchés dans des conteneurs sans avoir eu la chance de dénombrer les bleus du ciel. Alors, chaque jour, il se donne la tâche de les répertorier pour eux, avec eux.

MONSIEUR AN M'A APPRIS les nuances. Monsieur Minh m'a donné le désir d'écrire. J'ai rencontré monsieur Minh sur une banquette en vinyle rouge d'un restaurant chinois de la rue Côte-des-Neiges où mon père travaillait comme livreur. J'y faisais mes devoirs en attendant la fin de son quart de travail. Monsieur Minh, il notait les rues à sens unique, les adresses particulières, les clients à éviter. Il se préparait à devenir livreur avec le même sérieux, la même ardeur, la même nervosité que durant ses études en littérature française à la Sorbonne. Lui, ce n'était pas le ciel qui l'avait sauvé, c'était l'écriture. Il avait écrit plusieurs livres pendant ses années au camp de rééducation, et ce, toujours sur le seul et unique bout de papier qu'il possédait, une page par-dessus l'autre, un chapitre après l'autre, une histoire sans suite. Sans l'écriture, il n'aurait pas entendu aujourd'hui la neige fondre, les feuilles pousser et les nuages se promener. Il n'aurait pas non plus vu le cul-de-sac d'une pensée, la dépouille d'une étoile ou la texture d'une virgule. Les soirs où il peignait dans sa cuisine des canards de bois, des outardes, des huards, des malards, en suivant le plan des couleurs qui lui avait été fourni par son employeur, il me récitait les mots de son dictionnaire personnel : nummulaire, geindre, quadriphonie, *in extremis*, sacculine, logarithmique, hémorragie…, comme un mantra, comme une marche vers le vide.

CHACUN DE NOUS a été sauvé différemment durant cette période de paix, ou d'après-guerre du Vietnam. Ma famille à moi a été sauvée par Anh Phi.

Anh Phi, le jeune fils adolescent d'une amie de mes parents, est celui qui a retrouvé le paquet de taels d'or que mon père avait lancé depuis notre balcon du troisième étage durant la nuit. Pendant le jour précédant cette nuit, mes parents m'avaient demandé de tirer sur le bout d'une corde qui longeait le couloir si jamais un des dix soldats vivant dans notre maison se présentait à notre étage. Mes parents avaient passé des heures dans la salle de bains à déloger les feuilles d'or et les diamants cachés sous les minuscules carreaux roses et noirs. Ils les avaient par la suite soigneusement enveloppés dans plusieurs couches de sacs en papier brun avant de les lancer. Le paquet avait atterri comme prévu dans les débris de la maison démolie de l'ancien voisin d'en face.

Durant cette période-là, les enfants avaient le devoir de planter des arbres en guise de gratitude envers notre chef spirituel Hồ Chí Minh, et aussi, ils devaient récupérer des briques non endommagées sur les sites de démolition. Que je sillonne les débris pour retrouver le paquet d'or n'éveillait donc aucun soupçon. Mais je devais faire attention parce qu'un des soldats de chez moi était assigné à la porte pour surveiller nos fréquentations et nos déplacements. Sachant que des yeux étaient posés sur moi, j'ai traversé le site trop rapidement et n'ai pu trouver le paquet, même après le deuxième essai. Mes parents ont alors demandé à Anh Phi d'y faire un tour. Après sa fouille, il est reparti avec un sac rempli de briques.

Le paquet de taels d'or a été remis à mes parents les jours suivants, qui par la suite l'ont remis à l'organisateur de notre fuite en bateau. Tous les taels y étaient. En ces temps chaotiques de la paix, il était habituel que la faim remplace la raison, et l'incertitude la moralité, mais rare était l'inverse. Anh Phi et sa mère faisaient figures d'exception. Ils sont devenus nos héros.

À VRAI DIRE, Anh Phi était mon héros bien avant qu'il ait remis les deux kilos et demi d'or à mes parents parce que, lors de mes visites chez lui, il venait s'asseoir sur le seuil de la porte de sa maison avec moi et faisait apparaître un bonbon derrière mon oreille au lieu de me pousser à jouer avec les autres enfants.

Mon premier voyage seule, sans mes parents, a été au Texas pour revoir Anh Phi et lui offrir à mon tour un bonbon. Nous étions assis côte à côte par terre, contre son lit simple de résidence universitaire, quand je lui ai demandé pourquoi il avait remis le paquet d'or à mes parents alors que sa mère veuve devait mélanger leur riz avec de l'orge, du sorgho et du maïs pour les nourrir, ses trois frères et lui, pourquoi ce geste d'honnêteté héroïque. Il m'a dit en riant et en me frappant à répétition avec son oreiller qu'il voulait que mes parents puissent acheter notre passage en bateau, car sinon il n'aurait plus eu de petite fille à taquiner. Il était encore un héros, un vrai héros parce qu'il ne peut s'empêcher de l'être, parce qu'il l'est sans le savoir, sans le vouloir.

auprès de la jeune fille qui vendait du porc grillé à l'extérieur des murs du temple bouddhiste, en face du bureau. Elle parlait très peu, toujours au travail, absorbée par les tranches de porc qu'elle coupait, insérait dans les dizaines de baguettes qu'elle avait fendues au préalable aux trois quarts. Il était difficile de voir son visage une fois que le charbon était allumé dans la boîte métallique noircie par la graisse accumulée au fil des années, parce qu'un nuage de fumée et de cendre l'emballait, l'étouffait, la faisait pleurer. Son beau-frère faisait le service et la vaisselle dans les deux pots d'eau installés directement sur le bord du trottoir, qu'un égout ouvert longeait. Elle devait avoir quinze, seize ans, magnifiquement belle malgré son regard voilé et ses joues tachées de suie et de cendre.

Un jour, ses cheveux ont pris feu, brûlant une partie de sa chemise en polyester avant que son frère ait eu le temps de vider le pot d'eau de vaisselle sale sur sa tête. Elle était couverte de laitue, de tranches de papaye verte, de piment, de sauce de poisson. Je suis allée la voir le lendemain avant l'heure du lunch pour lui offrir de venir faire le ménage au bureau, et pour lui proposer de l'inscrire à un cours culinaire et à un cours d'anglais. J'étais convaincue que j'exaucerais son rêve le plus grand. Or, elle a refusé, tout refusé, d'un simple hochement de tête. J'ai quitté Hanoi ainsi, l'abandonnant à son coin de trottoir, sans avoir pu détourner son regard vers un horizon sans fumée, ni être héroïque comme Anh Phi, comme beaucoup de gens qui ont été identifiés, nommés, désignés héros au Vietnam.

UNE PAIX NÉE des bouches de canons enfante nécessairement des centaines, des milliers d'anecdotes de gens braves, de héros. Durant les premières années de la victoire communiste, les livres d'histoire n'avaient pas assez de pages pour contenir tous les héros, alors ils se logeaient dans les livres de mathématiques : combien d'avions le camarade Công a-t-il abattus par semaine s'il en descendait deux par jour ?

On n'apprenait plus à compter avec des bananes et des ananas. On transformait la salle de classe en un immense jeu de Risk, avec le calcul des soldats morts, blessés ou emprisonnés et des victoires patriotiques, grandioses et colorées. Mais les couleurs n'étaient illustrées qu'à travers les mots. Les images étaient monochromes comme les gens, peut-être pour nous empêcher d'oublier le côté sombre de la réalité. Nous devions tous porter des pantalons noirs et des chemisiers de couleur foncée. Autrement, les soldats en uniforme vert kaki nous emmenaient au poste pour une session d'interrogatoire et de rééducation. Ils arrêtaient aussi les filles qui se mettaient du crayon et de l'ombre à paupières bleue. Ils croyaient qu'elles avaient les yeux au beurre noir, qu'elles étaient des victimes de la violence capitaliste. C'est peut-être pour cette raison qu'ils ont enlevé le bleu ciel du premier drapeau communiste vietnamien.

QUAND MON MARI a mis son t-shirt rouge avec une étoile jaune sur le torse dans les rues de Montréal, des Vietnamiens l'ont harcelé, mes parents l'ont déshabillé pour lui enfiler un t-shirt trop petit de mon père. Même si je n'aurais jamais pu le porter moi-même, je n'ai pas empêché mon mari de l'acheter, parce que j'avais déjà noué fièrement le foulard rouge autour de mon cou. J'avais intégré ce symbole de la jeunesse communiste dans ma tenue vestimentaire. J'enviais même les amis qui avaient la phrase « *Cháu ngoan Bác Hồ* » brodée en jaune sur la pointe triangulaire qui dépassait du col. Ils étaient des « enfants chéris du parti », un statut qui m'était inaccessible en raison de ma filiation, peu importe que j'aie été première de classe ou celle qui avait planté le plus d'arbres en pensant au père de notre paix. Chaque tableau noir de chaque classe, chaque bureau, chaque maison devait accrocher au moins une photo de Hồ Chí Minh sur les murs. Sa photo remplaçait même celles des ancêtres, que personne n'avait auparavant osé toucher puisqu'elles étaient sacrées. Les ancêtres – qu'ils aient été joueurs, nuls ou violents – devenaient tous respectables et intouchables une fois morts, une fois mis sur l'autel avec de l'encens, des fruits, du thé. Les autels devaient toujours se trouver à une hauteur assez élevée pour que le regard des ancêtres nous surplombe. Tous les descendants devaient porter leurs ancêtres non pas dans leur cœur mais au-dessus de leur tête.

TOUT RÉCEMMENT, j'ai vu à Montréal une grand-mère vietnamienne demander à son petit-fils d'un an : « Thương Bà để đâu ? » Je ne sais pas comment traduire cette phrase de seulement quatre mots, mais qui contient deux verbes, « aimer » et « porter ». Littéralement, c'est : « Aimer grand-mère porter où ? » Le petit s'est touché la tête avec la main. J'avais complètement oublié ce geste, que moi-même j'ai fait mille fois quand j'étais petite. J'avais oublié que l'amour vient de la tête et non pas du cœur. De tout le corps, seule la tête importe. Il suffit de toucher la tête d'un Vietnamien pour l'insulter, non seulement lui mais tout son arbre généalogique. C'est ainsi qu'un timide Vietnamien de huit ans s'est transformé en tigre furieux quand son coéquipier québécois a frotté le dessus de sa tête pour le féliciter d'avoir attrapé son premier ballon de football.

Si une marque d'affection peut parfois être comprise comme une offense, peut-être que le geste d'aimer n'est pas universel : il doit aussi être traduit d'une langue à l'autre, il doit être appris. Dans le cas du vietnamien, il est possible de classifier, de quantifier le geste d'aimer par des mots spécifiques : aimer par goût (*thích*), aimer sans être amoureux (*thương*), aimer amoureusement (*yêu*), aimer avec ivresse (*mê*), aimer aveuglément (*mù quáng*), aimer par gratitude (*tình nghĩa*). Il est donc impossible d'aimer tout court, d'aimer sans sa tête.

J'ai de la chance d'avoir appris à savourer le plaisir de lover ma tête dans le creux d'une main, et mes parents ont de la chance de pouvoir capter l'amour de mes enfants quand ces derniers leur donnent des baisers dans les cheveux, spontanément, sans protocole, pendant une session de chatouilles au lit. Moi, j'ai touché la tête de mon père une seule fois. Il m'avait ordonné de m'appuyer dessus pour enjamber la rampe du bateau.

NOUS NE SAVIONS PAS où nous étions. Nous avions débarqué sur la première terre ferme. Alors que nous nous avancions vers la plage, un Asiatique en boxer-short bleu clair a couru vers notre bateau. Il nous a répété en vietnamien de débarquer et de détruire le bateau. Était-il vietnamien ? Étions-nous de retour au point de départ après quatre jours en mer ? Je crois que personne ne s'est posé ces questions parce que nous avons tous sauté dans l'eau comme lors du déploiement d'une armée. L'homme a disparu au milieu de ce chaos, pour toujours. Je ne sais pas pourquoi j'ai gardé si clairement l'image de cet homme au pas de course dans l'eau, les bras en l'air, le poing frappant dans le vide avec un cri d'urgence que le vent n'a pas transporté jusqu'à moi. Je me souviens de cette image avec la même précision et la même clarté que celle de Bo Derek sortant de l'eau en courant dans son maillot couleur chair. Pourtant, je n'ai vu ce monsieur qu'une seule fois pendant une fraction de seconde, contrairement à l'affiche de Bo Derek, que j'ai croisée tous les jours pendant des mois.

Tous ceux qui étaient sur le pont l'ont vu. Mais personne n'oserait le confirmer avec certitude. Il était peut-être un de ces morts qui ont vu des bateaux repoussés vers la mer par les autorités locales. Il était peut-être un fantôme qui avait le devoir de nous sauver pour obtenir son propre accès au paradis. Il était peut-être un Malaisien schizophrène. Il était peut-être un touriste du Club Med qui voulait briser la monotonie de ses vacances.

IL ÉTAIT SANS DOUTE un touriste parce que nous sommes descendus sur une plage protégée en raison de la présence de tortues, avoisinant le site d'un Club Med. En fait, c'était une ancienne plage du Club Med, car leur bar creusé existait encore. Nous y avons dormi tous les jours, avec comme toile de fond l'inscription sur le mur du bar des noms de Vietnamiens qui étaient passés par là, qui avaient survécu comme nous. Si nous avions attendu quinze minutes de plus avant d'accoster, nous n'aurions pas eu les pieds bien calés dans le sable fin et doré de cette plage paradisiaque. Notre bateau a été totalement détruit par les vagues d'une simple pluie, qui est tombée tout de suite après notre débarquement. Nous étions plus de deux cents à regarder ce spectacle en silence, les yeux embués par la pluie et la stupeur. Les planches de bois sautillaient l'une après l'autre sur la crête des vagues, comme dans un numéro de nage synchronisée. Je suis certaine que ce spectacle nous a tous rendus croyants pendant un court moment. Tous, sauf un. Il est retourné sur ses pas pour aller chercher les taels d'or qu'il avait cachés dans le fût d'essence du bateau. Il n'est jamais revenu. Peut-être que les taels l'ont fait couler, peut-être qu'ils étaient trop lourds à porter. Ou alors le courant l'a avalé pour le punir d'avoir regardé en arrière, ou pour nous rappeler qu'il ne faut jamais regretter ce qu'on a laissé derrière soi.

CE SOUVENIR EXPLIQUE certainement pourquoi je ne quitte jamais un endroit avec plus d'une valise. J'emporte seulement des livres avec moi. Le reste ne réussit jamais à devenir véritablement mien. Je dors aussi bien dans le lit d'un hôtel, d'une chambre d'amis ou d'un inconnu que dans mon propre lit. En fait, je suis toujours heureuse de déménager, ainsi j'ai l'occasion d'alléger mes biens, de délaisser certains objets afin que ma mémoire puisse devenir réellement sélective, qu'elle puisse se souvenir uniquement des images qui restent lumineuses derrière les paupières fermées. Je préfère me souvenir de mes chatouillements intérieurs, de mes étourdissements, de mes chavirements, de mes hésitations, de mes changements, de mes manquements... Je les préfère puisque je peux les modeler selon la couleur du temps, alors qu'un objet reste inflexible, figé, encombrant.

J'AIME LES HOMMES de la même manière, sans désirer qu'ils deviennent miens. Ainsi, je leur suis une parmi d'autres, sans rôle à jouer, sans exister. Je n'ai pas besoin de leur présence parce que les gens absents ne me manquent pas. Ils sont toujours remplacés ou remplaçables. S'ils ne le sont pas, mes sentiments pour eux le sont. Pour cette raison, je préfère les hommes mariés, aux mains habillées de joncs. J'aime ces mains sur mon corps, sur mes seins. Je les aime parce que, malgré le mélange des odeurs, malgré la moiteur de leur peau sur la mienne, malgré l'ivresse parfois, ces annulaires historiés me gardent éloignée, à l'écart, dans l'ombre.

J'OUBLIE LES DÉTAILS de mes sentiments entourant les rencontres. Cependant, je me souviens des gestes éphémères, comme l'effleurement du doigt de Guillaume sur mon petit orteil gauche pour y dessiner le G de son prénom, de la goutte de sueur tombée du menton de Mikhaïl sur ma première vertèbre lombaire, de la cavité qui se trouve au bas du sternum de Simon, qui m'a dit que si je murmurais dans le puits de ce *pectus excavatum*, mes mots résonneraient jusqu'à son cœur.

À travers les années, j'ai recueilli un battement de cils de l'un, une mèche rebelle de l'autre, des leçons de certains, des silences de plusieurs, un après-midi par-ci, une idée par-là, pour en faire un seul amant parce que j'ai négligé de mémoriser le visage de chacun. Ensemble, ces hommes m'ont appris à devenir amoureuse, à être une amoureuse, à désirer l'état amoureux. Cependant, ce sont mes enfants qui m'ont enseigné le verbe « aimer », qui l'ont défini. Si j'avais su ce qu'était aimer, je n'aurais pas eu d'enfants, car une fois qu'on aime on aime pour toujours, comme belle-tante Deux, la femme d'oncle Deux, qui ne peut cesser d'aimer son fils joueur, ce fils qui brûle la fortune de la famille comme un pyromane.

PLUS JEUNE, j'ai vu belle-tante Deux se prosterner devant Bouddha, devant Jésus, devant son fils pour le supplier de ne plus partir pendant des mois, de ne plus lui revenir au bout de ces mois d'absence escorté d'hommes munis d'un couteau placé sur sa gorge. Avant que je devienne mère, je ne comprenais pas comment elle, une femme d'affaires aux mains en poings, au regard vif, à la langue tranchante, pouvait croire toutes les histoires et promesses mensongères de son fils joueur. Lors de ma récente visite à Saigon, elle m'a dit qu'elle devait avoir été une grande criminelle dans sa vie antérieure pour être obligée, dans cette vie-ci, de croire continuellement les tromperies de son propre fils. Elle voudrait arrêter d'aimer. Elle était fatiguée d'aimer.

Parce que je suis devenue mère, je lui ai aussi menti en taisant la nuit où ce fils à elle a pris ma main d'enfant pour l'enrouler autour de son sexe de jeune adulte, et l'autre nuit où il s'est glissé à l'intérieur de la mousti-quaire de tante Sept, celle qui est déficiente, sans défense. Je me suis tue pour que belle-tante Deux, vieillissante, vidée, ne meure pas à force d'avoir aimé.

TANTE SEPT EST LA SIXIÈME enfant de ma grand-mère maternelle. Son chiffre 7 ne lui a pas porté chance comme il le devrait. Quand j'étais petite, tante Sept m'attendait parfois à la porte avec une spatule de bois dans les mains, prête à me frapper de toutes ses forces pour faire sortir de son corps la chaleur emmagasinée. Elle avait toujours chaud. Elle avait besoin de crier, de se jeter sur le plancher, de se défouler en frappant. Dès ses premiers hurlements, tous les domestiques couraient à travers la maison, lâchant en route leur seau d'eau, leur couteau, leur chaudron, leur torchon, leur balai pour venir l'immobiliser. À cette agitation s'ajoutaient les cris de ma grand-mère, de ma mère, de mes autres tantes, des enfants et les miens. Nous étions une chorale de vingt voix frôlant l'hystérie et la folie. Au bout d'un moment, nous ne savions plus pourquoi nous hurlions, parce que le cri initial, celui de tante Sept, avait été étouffé par les nôtres depuis longtemps déjà. Mais chacun continuait de crier, profitait de l'occasion pour le faire.

Parfois, au lieu de m'attendre à la porte, tante Sept l'ouvrait après avoir volé les clés de ma grand-mère. Elle l'ouvrait pour nous quitter, pour se retrouver en liberté dans les ruelles, où son handicap n'était pas visible, ou du moins ignoré. Certains ignoraient son handicap en acceptant son collier en or de vingt-quatre carats en échange d'un morceau de goyave, ou en s'adonnant au sexe avec elle en échange d'une flatterie. Certains espéraient même qu'elle enfante pour faire du bébé l'objet d'un chantage. À cette époque, ma tante et moi avions le même âge mental, nous étions des amies, nous racontant nos peurs. Nous partagions nos histoires. Aujourd'hui, cette tante handicapée me considère comme une adulte, alors elle ne me raconte plus ses fugues ni ses anciennes histoires de ruelles.

Je rêvais de me retrouver moi aussi dans les rues à jouer à la marelle avec les enfants du voisinage. Je les enviais à travers nos fenêtres grillagées ou depuis nos balcons. La maison était ceinte de murs de béton hauts de deux mètres, avec des tessons de verre encastrés dessus pour décourager toute intrusion. De l'endroit où j'étais, il était difficile de dire si ce mur existait pour nous protéger ou pour nous enlever l'accès à la vie.

Les ruelles grouillaient d'enfants qui sautaient à la corde, tressée avec des centaines d'élastiques multicolores. Mon jouet préféré n'était pas une poupée qui disait « *I love you* ». Mon jouet de rêve était un petit banc de bois avec un tiroir intégré – dans lequel les marchandes de rue mettaient leur argent –, ainsi que les deux paniers qu'elles transportaient à chaque bout d'une longue barre en bambou, déposée sur leurs épaules. Elles vendaient des soupes de toutes sortes. Elles marchaient entre les deux poids : d'un côté, un grand chaudron de bouillon et un feu de charbon pour le garder chaud ; de l'autre, les bols, les baguettes, les vermicelles et les condiments. Parfois, elles avaient même leur bébé accroché dans le dos. Chaque marchande annonçait son produit avec une mélodie particulière. J'avais un ami français qui se levait à cinq heures du matin pour enregistrer leurs chants. Il me disait que, bientôt, ces sons ne résonneraient plus dans les rues, que ces commerçants ambulants allaient abandonner leurs paniers pour la manufacture. Alors, il sauvegardait religieusement leurs voix et me demandait de les traduire au fur et à mesure, pour les répertorier selon les catégories : marchandes de soupe, de crème de soja, acheteuses de verre pour le recyclage, rémouleurs, masseurs pour hommes, vendeuses de pain... Nous passions des après-midi entiers à faire cet exercice de traduction. Avec cet ami, j'ai appris que la musique provenait de la voix, du rythme et du cœur de chacun, et que la musicalité de ces mélodies non notées pouvait soulever le rideau de la brume, traverser les fenêtres et les moustiquaires pour venir nous réveiller doucement telle une berceuse matinale.

Il fallait qu'il se réveille tôt pour les enregistrer car les soupes se vendaient surtout le matin. Chaque soupe avait ses vermicelles : les ronds avec du bœuf, les petits et plats avec du porc et des crevettes, les transparents avec du poulet... Chaque femme avait sa spécialité et son parcours. Quand Marie-France, ma professeure à Granby, m'a demandé de décrire mon petit-déjeuner, je lui ai dit : soupe, vermicelles, porc. Elle m'a reprise à plusieurs occasions en mimant le réveil, en se frottant les yeux et en s'étirant. Mais ma réponse restait la même avec une légère variation, du riz au lieu des vermicelles. Les autres enfants vietnamiens donnaient des descriptions semblables à la mienne. Alors elle a téléphoné à la maison pour vérifier auprès de mes parents l'exactitude de nos réponses. Nous avons progressivement cessé de déjeuner avec des soupes et du riz. Personnellement, je n'ai pas trouvé de substitut. Alors je ne déjeune que très rarement.

J'AI REPRIS L'HABITUDE de déjeuner avec de la soupe quand j'ai été enceinte de mon fils Pascal au Vietnam. Je ne désirais pas de cornichons ni de beurre d'arachide, seulement un bol de soupe avec des vermicelles acheté au coin de la rue. Pendant toute ma jeunesse, ma grand-mère nous a interdit de manger ces soupes car les bols étaient lavés dans un minuscule seau d'eau. C'était impossible pour les marchandes de transporter de l'eau sur leurs épaules en plus du bouillon et des bols. Elles demandaient alors aux gens de leur donner de l'eau propre quand c'était possible. Petite, je les attendais souvent à la clôture près de la porte de la cuisine, avec de la nouvelle eau pour leur seau. J'aurais échangé ma poupée aux yeux bleus contre leur banc de bois. J'aurais dû le leur proposer car aujourd'hui elles les ont échangés contre des bancs en plastique, plus légers, sans tiroir intégré, incapables d'enregistrer les traces de fatigue et d'usure dans leurs veinures comme les bancs de bois. Les marchandes sont entrées dans l'ère moderne en ayant encore le poids de la palanche sur leurs épaules.

LA TRACE D'UN SAC de pain sandwich Pom aux bandes rouges et jaunes est indélébile sur notre premier grille-pain. Nos parrains à Granby avaient mis cet article ménager en tête de liste des choses essentielles à acheter quand nous sommes arrivés dans notre premier appartement. Pendant des années, nous avons traîné ce grille-pain d'un déménagement à l'autre sans jamais l'utiliser parce que nous déjeunions avec du riz, de la soupe, des restes de la veille. Tranquillement, nous avons commencé à manger des Rice Krispies, sans lait. Mes frères, eux, ont continué avec des rôties et de la confiture. Mon plus jeune frère déjeune de deux tranches de pain sandwich avec du beurre et de la gelée de fraises chaque matin depuis vingt ans, sans exception, qu'il soit posté à New York, à New Delhi, à Moscou ou à Saigon. Sa bonne vietnamienne a essayé de changer ses habitudes en lui présentant des boules de riz collant fumantes, recouvertes de noix de coco fraîchement râpée, de grains de sésame rôtis et d'arachides écrasées au mortier, ou un bout de baguette chaude au jambon tartinée de mayonnaise maison, de pâté de foie, agrémentée d'une tige de coriandre… Il les refusait du revers de la main pour retourner à son pain sandwich gardé au congélateur. J'ai découvert durant ma dernière visite chez lui qu'il garde dans une armoire notre vieux grille-pain taché. C'est la seule bagatelle qu'il traîne avec lui d'un pays à l'autre, comme si elle était un point d'ancrage, ou le souvenir du premier ancrage.

J'AI DÉCOUVERT mon point d'ancrage quand je suis allée accueillir Guillaume à l'aéroport de Hanoi. Le parfum de l'assouplissant Bounce de son t-shirt m'a fait pleurer. Pendant quatorze jours, j'ai dormi avec un vêtement de Guillaume sur mon oreiller. Guillaume, de son côté, était ébloui par le parfum des jacquiers, des ramboutans, des kumquats, des durians, des caramboles, des courges amères, des crabes des champs, des crevettes séchées, des lis, des lotus, des herbes. Il est allé à plusieurs reprises au marché de nuit où des légumes, des fruits, des fleurs s'échangeaient entre les paniers des marchands, qui négociaient entre eux dans un chaos bruyant et contrôlé comme sur un plancher de Bourse. J'accompagnais Guillaume dans ce marché de nuit toujours avec un de ses pulls par-dessus ma chemise parce que j'avais découvert que mon chez-moi se résumait à cette odeur ordinaire, simple, banale du quotidien nord-américain. Je n'avais pas d'adresse civique à moi nulle part, je vivais dans un appartement du bureau à Hanoi. Mes livres étaient entreposés chez tante Huit, mes diplômes chez mes parents à Montréal, mes photos chez mes frères, mes manteaux d'hiver chez mon ancienne colocataire. J'ai constaté pour la première fois que le Bounce, l'odeur du Bounce, m'avait donné mon premier mal du pays.

PENDANT MES PREMIÈRES années au Québec, mes vêtements sentaient l'humidité ou la nourriture parce que, après le lavage, ils étaient accrochés dans nos chambres sur des cordes tendues entre deux murs. La nuit, toutes les nuits, ma dernière image a été des couleurs suspendues à travers la chambre comme les drapeaux de prière tibétains. Pendant des années, j'ai respiré le parfum d'assouplissant des vêtements de mes camarades de classe quand un vent le transportait jusqu'à moi. Je humais avec bonheur les sacs de vêtements usagés que nous recevions. Je ne désirais que cette odeur.

GUILLAUME EST REPARTI après son séjour de deux semaines à Hanoi avec moi. Il n'avait plus aucun vêtement propre à me laisser. Au cours des mois suivants, j'ai reçu par la poste de temps à autre un mouchoir fraîchement séché au Bounce dans un sac de plastique hermétiquement fermé. Le dernier paquet qu'il m'a envoyé contenait un billet d'avion pour Paris. Il m'y attendait pour un rendez-vous chez un parfumeur. Il voulait que je sente la feuille de violette, l'iris, le cyprès bleu, la vanilline, la livèche… et surtout l'immortelle, une odeur à propos de laquelle Napoléon disait qu'il pouvait sentir son pays avant même d'y avoir posé le pied. Guillaume voulait que je trouve une odeur qui me donnerait mon pays, mon univers.

JE N'AI JAMAIS PORTÉ un autre parfum que celui qui a été créé pour moi à la demande de Guillaume pendant ce voyage à Paris. Il a remplacé le Bounce, il parle pour moi et me rappelle que j'existe. Une de mes colocataires a étudié pendant plusieurs années la théologie, l'archéologie, l'astronomie pour comprendre qui est notre créateur, qui nous sommes, pourquoi nous existons. Chaque soir, elle arrivait à l'appartement avec non pas des réponses mais des questions nouvelles. Moi, je n'ai jamais eu d'autres questions que celle du moment où je pourrais mourir. J'aurais dû choisir ce moment avant l'arrivée de mes enfants, car j'ai depuis perdu l'option de mourir. L'odeur surette de leurs cheveux cuits sous le soleil, l'odeur de la sueur dans leur dos la nuit au réveil d'un cauchemar, l'odeur poussiéreuse de leurs mains à la sortie des classes m'ont obligée et m'obligent à vivre, à être éblouie par l'ombre de leurs cils, à être émue par un flocon de neige, à être renversée par une larme sur leur joue. Mes enfants m'ont donné le pouvoir exclusif de souffler sur une plaie pour faire disparaître la douleur, de comprendre des mots non prononcés, de détenir la vérité universelle, d'être une fée. Une fée éprise de leurs odeurs.

WYATT ÉTAIT ÉPRIS du *ao dài* parce que cette tunique rend le corps des femmes magnifiquement fragile et démesurément romantique. Un jour, il m'a emmenée dans une grande villa cachée derrière des rangées de kiosques construits sur le terrain de l'ancien jardin. La villa était habitée par deux sœurs vieillissantes qui vendaient tranquillement leurs meubles aux collectionneurs pour assurer leur survie au quotidien. Wyatt était leur client le plus fidèle, alors nous avons été invités à nous reposer sur un grand lit de jour en bois d'acajou semblable à celui de mon grand-père paternel, en déposant notre tête sur les coussins en céramique des anciens fumeurs d'opium. La propriétaire nous a apporté du thé et des lamelles de gingembre confit. Une légère brise a soulevé les pans de son *ao dài* quand elle s'est penchée pour déposer les tasses entre Wyatt et moi. Bien qu'elle eût soixante ans, la sensualité de son *ao dài* nous atteignit. Le centimètre carré de peau qui s'y est révélé se moquait des ravages du temps : il continuait à faire chavirer. Wyatt disait que ce minuscule espace était son triangle d'or, son îlot de bonheur, son Vietnam à lui. Il m'a soufflé entre deux gorgées de thé : « *It stirs my soul.* »

LES SOLDATS DU NORD ont également été troublés par ce triangle de peau quand ils sont arrivés à Saigon. Ils ont été perturbés par la sortie des lycéennes en *ao dài* blanc, jaillissant de leur cour d'école comme des papillons au printemps. Alors, ils ont interdit le port de cette robe. Ils l'ont proscrite aussi parce qu'elle ternissait l'héroïsme des femmes en képi vert que l'on voyait sur des panneaux gigantesques à tous les coins de rue, avec leur chemise kaki aux manches retroussées et leurs bras musclés. Ils ont eu raison de bannir cette robe. Il fallait trois fois plus de temps pour la boutonner que pour l'enlever. Un seul mouvement brusque suffisait pour que les boutons à pression sautent et s'ouvrent. Ma grand-mère, elle, mettait non pas trois mais dix fois plus de temps à enfiler cette tunique, car après avoir accouché de dix enfants, il fallait sculpter son corps, le redessiner avec une gaine aux trente crochets pour respecter la coupe cintrée de cette robe hypocritement pudique et trompeusement candide.

MA GRAND-MÈRE est aujourd'hui une femme très âgée, mais elle est encore belle, somptueusement, comme une reine. Quand elle était dans la quarantaine, installée dans son salon à Saigon, elle portait à elle seule l'aura d'une époque de beauté et de luxe extrêmes. Chaque matin, une cohorte de marchands attendaient à la porte pour lui présenter leurs trouvailles. La plupart des vendeurs connaissaient déjà ses besoins. Ils lui apportaient de nouvelles pièces de vaisselle, des fleurs en plastique fraîchement arrivées d'Europe et, inévitablement, des soutiens-gorge pour ses six filles. Mais comme le pays était en guerre et le marché, instable, il valait mieux tout prévoir. Parfois, c'étaient des diamants. Toutes les femmes vietnamiennes de notre entourage possédaient une loupe à diamants. J'avais appris dès mon jeune âge à repérer les inclusions dans les diamants, parce que c'était une habileté nécessaire à la gestion des finances familiales. Le système bancaire était fragile et éphémère, alors il fallait maîtriser l'art de l'achat et de la vente de l'or et des diamants pour gérer les épargnes. Ma grand-mère passait des journées entières à faire des courses sans jamais se déplacer. Au milieu des visites de ces marchands, elle recevait aussi des amis ou des serviteurs en quête d'emplois.

Les journées de ma grand-mère étaient toujours remplies par ces tâches quotidiennes. Alors, même si elle était croyante, elle n'avait pas le temps de s'asseoir devant Bouddha. Après que les marchés eurent été vidés de marchandises et de marchands, après que ses colocataires communistes lui eurent enlevé le contenu de son coffre-fort et ses écharpes en dentelle, elle a appris à s'habiller avec le long kimono gris porté par les fidèles. Malgré ses cheveux poivre et sel, tout simplement lissés et attachés en boule juste au-dessus de la nuque, elle restait magistralement belle. Elle répétait ses prières à toute heure de la journée, dans la fumée des tiges d'encens, attendant des nouvelles de ses enfants partis en mer. Elle a laissé ses deux plus jeunes enfants, un garçon et une fille, partir avec ma mère malgré l'incertitude. Ma mère a demandé à ma grand-mère de choisir entre le risque de perdre son fils en mer et celui de le retrouver déchiqueté dans un champ de mines en faisant son service militaire au Cambodge. Il fallait choisir en cachette, sans hésiter, sans trembler, sans transpirer. C'est peut-être pour contrôler cette peur qu'elle s'est mise à la prière. C'est peut-être pour s'enivrer avec la fumée d'encens qu'elle n'a plus quitté l'autel.

À HANOI, J'AVAIS UNE VOISINE en face qui priait aussi tous les matins, à l'aube, pendant des heures. Mais, contrairement à ma grand-mère, les fenêtres en lattes de bambou de sa chambre donnaient directement sur la rue. Son mantra et ses frappes régulières et incessantes sur son bloc de bois envahissaient tout le quartier. Au début, je voulais déménager, porter plainte, ou même voler sa cloche pour la mettre en morceaux. Mais, après quelques semaines, j'ai cessé de maudire cette femme car l'image de ma grand-mère est venue me hanter.

Durant les premières années des grands bouleversements, ma grand-mère se réfugiait parfois dans les temples. Elle voulait tellement s'y cacher qu'elle a même accepté que tante Sept l'y conduise. Tante Sept ne savait pas conduire une mobylette, parce que personne ne le lui avait montré, et surtout parce qu'elle n'était pas censée sortir de la maison. Mais les règles avaient été réécrites depuis le chambardement structurel de sa vie et de la vie en général. Ma tante handicapée a trouvé dans cet éclatement du noyau familial une certaine liberté et aussi une occasion pour grandir. C'est dans ce contexte qu'elle a fait démarrer la seule mobylette qui restait dans la cour. Pour la première fois de sa vie, ma grand-mère a enfourché un tel véhicule. Ma tante a commencé ainsi à rouler et à rouler, sans changer de vitesse, sans même s'arrêter aux feux rouges. Elle m'a raconté plus tard que lorsqu'elle voyait un feu de circulation, elle fermait les yeux. Ma grand-mère, elle, les mains sur les épaules de sa fille, priait.

J'aurais voulu que tante Sept me raconte aussi son accouchement chez les sœurs. Je ne sais pas si elle est au courant que le fils adoptif de tante Quatre est en fait le sien. Moi, je ne sais pas comment je l'ai su. Peut-être parce que les enfants écoutaient aux portes à travers le trou de la serrure sans que les adultes s'en aperçoivent. Ou peut-être parce que les adultes ne remarquaient pas toujours la présence des enfants. Les parents n'avaient pas besoin de garder un œil sur leurs enfants, ils comptaient sur la surveillance de leur nourrice. Mais les parents oubliaient parfois que les nourrices étaient des jeunes filles : elles avaient des envies comme eux, elles aimaient attirer le regard du chauffeur et le sourire du couturier, elles aimaient rêver pendant un instant, en se regardant dans le miroir, qu'elles faisaient elles aussi partie de la toile de fond qui s'y reflétait.

J'ai toujours eu des nourrices, mais elles m'oubliaient parfois. Moi, je ne me souviens d'aucune d'entre elles, même si je les retrouve souvent dans un coin, hors champ, sur mes photos d'enfance.

MON FILS PASCAL aussi a perdu le souvenir de sa nourrice, Lek, presque tout de suite après notre départ de Bangkok pour revenir à Montréal. Pourtant, sa nourrice thaïlandaise avait été avec lui sept jours sur sept, vingt-quatre heures sur vingt-quatre pendant plus de deux ans, sauf pour quelques jours de congé de temps à autre. Lek a aimé Pascal dès la première seconde. Elle le faisait admirer dans le voisinage comme s'il était le sien, le plus beau, le plus magnifique. Elle l'aimait tellement, j'en avais peur qu'elle n'oublie qu'une séparation allait inévitablement avoir lieu, nous allions la quitter un jour et, malheureusement, mon fils ne garderait peut-être aucun souvenir d'elle.

Lek ne connaissait que quelques mots d'anglais et moi, quelques mots thaïs, mais nous réussissions tout de même à tenir de longues conversations sur les résidants de mon immeuble. L'image la plus cinématographique était celle du voisin du neuvième, un Américain d'une trentaine d'années. Un soir, il est rentré de son travail pour découvrir son appartement couvert de plumes et de mousse. Ses pantalons étaient coupés en deux dans le sens de la longueur, ses sofas éventrés, ses tables lacérées au couteau, ses rideaux déchirés. Tout avait été coupé en morceaux par la maîtresse mensuelle qu'il avait remerciée après trois mois de service. Il n'aurait pas dû dépasser le temps limite d'un mois, parce que l'espoir d'un grand amour croissait de jour en jour dans sa tête à elle, même si elle continuait à être payée chaque vendredi pour aimer. Afin d'éviter une déception de cette taille, peut-être n'aurait-il pas fallu l'inviter à tous ces repas où elle souriait sans rien comprendre, où elle était une décoration pour meubler la table, où elle avalait des vichyssoises en désirant trop fortement une salade de papaye verte aux piments oiseaux qui déchirent la bouche, qui brûlent les lèvres, qui incendient le cœur.

J'AI SOUVENT DEMANDÉ aux étrangers qui achetaient en Asie l'amour à l'unité pourquoi, au lendemain de nuits mouvementées, ils insistaient pour partager leur repas avec leurs maîtresses vietnamiennes ou thaïlandaises. Elles auraient préféré recevoir le coût de ces plats en argent comptant, afin d'acheter une paire de souliers à leur mère, de changer le matelas de leur père ou d'envoyer leur petit frère à un cours d'anglais. Pourquoi désirer leur présence en dehors du lit alors que leur vocabulaire se limitait aux conversations tenues derrière des portes fermées ? Ils m'ont répondu que je n'avais rien compris. Ils avaient besoin de ces jeunes filles pour une raison tout autre. Elles étaient là pour leur redonner leur jeunesse. Quand ils regardaient ces jeunes filles, ils se voyaient eux-mêmes jeunes, pleins de rêves et de possibilités. Elles leur donnaient l'illusion de ne pas avoir raté leur vie ou, à tout le moins, la force et le désir de la recommencer. Sans elles, ils se sentaient désillusionnés, tristes. Tristes de ne pas avoir assez aimé et de ne pas avoir été assez aimés. Ils étaient désillusionnés parce que l'argent ne leur avait pas apporté le bonheur, sauf dans ces pays où ils pouvaient se procurer pour cinq dollars une heure de bonheur, ou du moins d'affection, de compagnie et d'attention. Pour cinq dollars, ils avaient une fille gauchement maquillée, qui venait partager un café ou une bière avec eux et riait aux éclats parce qu'ils avaient dit en vietnamien le mot « uriner » pour désigner le poivre. Ces deux mots ne se différencient que par un accent, un ton presque imperceptible aux oreilles non entraînées. Un simple accent pour un simple moment de bonheur.

UN SOIR, en suivant dans un restaurant un homme qui avait le lobe d'une oreille fendu comme celui d'un des soldats communistes qui avaient habité dans ma famille à Saigon, j'ai vu par la fente entre deux panneaux d'une salle privée six filles placées en ligne contre le mur, perchées sur leurs escarpins, le visage lourdement fardé, le corps frêle, la peau frissonnante, complètement nues sous la lumière intermittente des néons. Ensemble, six hommes ciblaient les filles avec chacun un billet de cent dollars américains roulé serré, plié en deux autour d'un élastique tendu. Les billets traversaient la salle enfumée avec la vitesse folle des projectiles pour venir frapper la peau diaphane des filles.

DURANT MES PREMIERS MOIS au Vietnam, j'étais très flattée quand des gens me prenaient pour l'escorte de mon patron, malgré mon tailleur griffé et mes talons sévères, puisque cela voulait dire que j'étais encore jeune, mince et fragile. Mais après avoir assisté à cette scène, où les filles devaient se pencher pour ramasser les billets de cent dollars en boule éparpillés à leurs pieds, j'ai cessé de me sentir flattée par respect pour elles, car derrière ces corps de rêve et ces jeunes années de vie, elles portaient à leur tour le poids invisible de l'histoire du Vietnam, à l'instar des femmes au dos arqué.

Comme certaines de ces filles qui avaient la peau encore trop délicate, qui ne supportaient pas le poids, je suis partie avant la troisième série de tirs. J'ai quitté ce restaurant les oreilles assourdies non par le bruit du choc entre les verres d'alcool, mais par l'imperceptible bruit du choc des billets contre leur peau. J'ai quitté ce restaurant avec en tête la résonance du silence stoïque des filles qui y restaient, qui avaient la force de défier la décadence, qui dépouillaient l'argent de son pouvoir, qui devenaient intouchables, invincibles.

QUAND JE CROISE des jeunes filles, à Montréal ou ailleurs, qui blessent leur corps intentionnellement, volontairement, qui veulent avoir des cicatrices dessinées sur leur peau à tout jamais, je ne peux m'empêcher de souhaiter secrètement qu'elles rencontrent ces autres jeunes filles, qui ont, elles aussi, des cicatrices permanentes, mais tellement profondes qu'elles sont invisibles à l'œil nu. J'aimerais les mettre face à face pour les entendre faire la comparaison entre une cicatrice désirée et une cicatrice infligée, l'une payée, l'autre payante, l'une visible, l'autre impénétrable, l'une à fleur de peau, l'autre insondable, l'une dessinée, l'autre informe.

TANTE SEPT a elle aussi une cicatrice au bas du ventre, la trace d'une de ses escapades dans le labyrinthe des ruelles où elle se faufilait entre les marchands de glace, les vendeurs de babouches, les voisins en chicane, les femmes en colère et les hommes en érection. Lequel de ces hommes était le père de son enfant ? Personne n'osait interroger tante Sept puisqu'il a fallu lui mentir pendant le temps de la grossesse pour la protéger de son propre ventre en le dissimulant sous l'habit des religieuses du couvent des Oiseaux. Les sœurs l'appelaient Josette et lui montraient comment écrire son nom en dessinant les lettres en pointillés. Josette n'a jamais su pourquoi elle grossissait ni pourquoi, au réveil d'un sommeil profond, elle avait maigri. Elle savait seulement que le fils adoptif de tante Quatre fuguait comme elle dès qu'il le pouvait. Il sillonnait les mêmes ruelles à la vitesse de la lumière, tenant ses sandales à la main afin que ses pieds sentent la chaleur de l'asphalte, la texture d'un excrément, le tranchant d'un tesson de bouteille. Il a couru pendant toute son enfance. Et pendant toute son enfance, petits et grands, nous étions dix, quinze, parfois vingt à patrouiller le voisinage chaque mois. Un jour, nous sommes rentrés bredouilles, de même que les domestiques et les voisins. Il est parti de notre vie par le même sillage que celui d'où il est arrivé, en laissant pour seul souvenir une cicatrice au-dessus du pubis de sa mère.

MON FILS HENRI fugue aussi. Il court jusqu'au fleuve de l'autre côté d'une autoroute, d'un boulevard, d'une rue, d'un parc et d'une autre rue. Il court vers ces eaux où le rythme régulier et le mouvement constant des ondulations du courant l'hypnotisent, le calment, le protègent. J'ai appris à être une ombre dans son ombre pour le suivre au pas sans le perturber, sans le troubler, sans l'agresser. Mais une fois, il m'a suffi d'une seule seconde d'égarement pour que je le voie se lancer devant les voitures, enthousiaste et vivant comme jamais auparavant. J'étais suffoquée par la juxtaposition de sa joie si rare, si inattendue, et de mon angoisse de voir son corps projeté dans les airs au-dessus d'un pare-chocs. Fallait-il fermer les yeux et ralentir ma course pour éviter d'être témoin de l'impact, pour survivre ? La maternité, la mienne, m'a affligée d'un amour qui vandalise mon cœur, le boursoufle, l'essouffle et l'a expulsé hors de ma cage thoracique quand j'ai vu mon fils aîné, Pascal, arrivé de nulle part, plaquer son frère sur le gazon fraîchement coupé du terre-plein du boulevard. Pascal est tombé sur son frère tel un ange, avec des petites cuisses dodues, des joues rose bonbon et un minuscule pouce levé en l'air.

J'AI PLEURÉ DE JOIE en prenant mes deux fils par la main, mais j'ai aussi pleuré la douleur de cette autre mère vietnamienne qui a assisté à l'exécution de son fils. Ce jeune fils, une heure avant sa mort, courait, cheveux au vent, à travers les rizières afin de transporter des messages d'un homme à un autre, d'une main à une autre, d'une cachette à une autre pour préparer la révolution, pour prêter main-forte à la résistance, mais aussi parfois pour faire voyager un simple mot d'amour.

Ce fils, il courait avec son enfance dans les jambes. Il ne voyait pas le risque réel de se faire attraper par les soldats du camp ennemi. Il avait six ans, peut-être sept. Il ne lisait pas encore. Il savait juste tenir fermement dans ses mains le bout de papier qu'on lui avait remis. Mais une fois capturé, debout au milieu des fusils pointés vers lui, il ne s'est plus souvenu de la destination de sa course, ni du nom du destinataire de la note, ni du lieu exact de son point de départ. La panique l'a fait taire. Les soldats l'ont tu. Son corps frêle s'est affaissé au sol alors que les soldats sont repartis en mâchant leur gomme. Sa mère a couru à travers cette rizière où les traces des pieds de son fils étaient encore fraîches. Malgré le bruit de la balle qui avait déchiré l'espace, le paysage restait le même. Les jeunes pousses de riz continuaient à être bercées par le vent, impassibles devant la brutalité de ces amours trop grandes, de ces douleurs trop sourdes pour que les larmes coulent, pour que les cris s'échappent de cette mère qui recueillait avec sa vieille natte le corps de son fils à moitié enfoncé dans la boue.

J'AI RETENU MES CRIS pour ne pas altérer le bruit hypnotisant des machines à coudre, placées l'une derrière l'autre dans le garage de mes parents. Comme mes frères et moi, mes cousins cousaient après l'école pour ramasser de l'argent de poche. Les yeux fixés sur le mouvement régulier et rapide des aiguilles, nous ne nous voyions pas, alors nos conversations devenaient très souvent des confessions. Mes cousins n'avaient que dix ans. Mais ils avaient déjà un passé à raconter parce qu'ils sont nés dans un Saigon éteint et ont grandi dans la période la plus noire du Vietnam. Ils m'ont décrit en ricanant comment ils avaient masturbé des hommes en échange d'un bol de soupe à deux mille dôngs. Ils ont dépeint sans retenue ni réserve ces gestes sexuels avec le naturel et la pureté de ceux qui considèrent que la prostitution est uniquement une affaire d'adultes et d'argent, qu'elle n'implique pas des enfants de six et sept ans comme eux, qui s'y adonnaient pour un repas à quinze cents. Je les ai écoutés sans me retourner, sans arrêter de coudre, sans commenter parce que je voulais protéger l'innocence de leur propos, ne pas souiller leur candeur avec mon regard. C'est certainement grâce à cette innocence qu'ils sont devenus des ingénieurs après dix ans d'études à Montréal et à Sherbrooke.

AU RETOUR D'UN VOYAGE pour déposer mes cousins à l'Université de Sherbrooke, un Vietnamien m'a abordée dans une station d'essence parce qu'il avait reconnu mes cicatrices de vaccins. À la seule vue de ces cicatrices, il a pu remonter dans le temps et se revoir petit garçon, marchant sur un chemin de terre jusqu'à son école, son ardoise sous le bras. À la seule vue de ces cicatrices, il a pu dire que nos yeux avaient déjà vu les fleurs jaunes des branches de pruniers, à l'entrée de chacune des maisons lors du Nouvel An. À la seule vue de ces cicatrices, il a pu se remémorer l'odeur saisissante du poisson caramélisé aux poivres, mijoté dans un pot de terre cuite déposé directement sur la braise. À la seule vue de ces cicatrices, nos oreilles ont entendu à nouveau le son produit par la tige de jeune bambou coupant l'air avant de fendre la peau de nos fesses lors des punitions. À la seule vue de ces cicatrices, nos racines tropicales, transplantées dans des terres recouvertes de neige, ont émergé à nouveau. En une seule seconde, nous avons pu constater notre ambivalence, notre état hybride : moitié ci, moitié ça, rien du tout et tout en même temps. Une seule marque sur la peau et toute notre histoire commune s'est étalée entre deux pompes à essence, au milieu d'une sortie d'autoroute. Il avait dissimulé sa cicatrice sous un dragon bleu-noir. Je ne pouvais pas la voir à l'œil nu. Cependant, il a suffi qu'il passe son doigt sur ma cicatrice impudiquement exhibée, et qu'il prenne mon doigt dans son autre main pour le passer sur le dos de son dragon, pour que nous vivions aussitôt un moment de complicité, de communion.

CE FUT AUSSI UN MOMENT de communion quand ma grande famille étendue s'est réunie dans le Upstate New York pour célébrer les quatre-vingt-cinq ans de ma grand-mère. Nous étions trente-huit à bavarder, à ricaner, à nous agacer pendant deux jours sans relâche. Je me suis aperçue alors pour la première fois que j'avais les mêmes cuisses bombées que celles de tante Six et que je portais une robe semblable à celle de tante Huit.

Tante Huit est ma grande sœur, celle qui a partagé avec moi le frisson du mot « déesse » qu'un homme lui avait chuchoté dans le creux de l'oreille quand elle était assise, en cachette de ma mère, sur le tube horizontal de sa bicyclette, dans l'enceinte de ses bras. Elle est aussi celle qui m'a montré à capter, à savourer le plaisir d'un désir passager, d'une flatterie éphémère, d'un instant volé.

Quand ma cousine Sao Mai s'est assise derrière moi pour m'envelopper de ses bras devant les appareils photo de ses deux fils, oncle Neuf m'a souri. Oncle Neuf me connaît mieux que je me connais parce qu'il m'a acheté mon premier roman, mon premier billet de théâtre, ma première entrée au musée, mon premier voyage.

SAO MAI EST DEVENUE une grande femme d'affaires, une personnalité publique, une reine moderne après avoir battu des douzaines et des douzaines d'œufs à la main – l'électricité manquait cinq jours sur sept à Saigon – pour faire des gâteaux de fête qu'elle vendait aux nouveaux dirigeants communistes. Comme une acrobate, elle livrait ses gâteaux à bicyclette, zigzaguant entre d'autres bicyclettes, évitant la fumée noire des motos et les bouches d'égout aux couvercles volés. Aujourd'hui, ses gâteaux, auxquels la crème glacée, les pâtisseries, le chocolat, le café se sont ajoutés, se vendent dans tous les quartiers des grandes villes, traversant le pays du sud au nord.

JE SUIS ENCORE L'OMBRE de Sao Mai. Mais j'aime l'être car, pendant mon séjour au Vietnam, j'étais l'ombre qui dansait autour des tables de négociations pour distraire ses interlocuteurs pendant qu'elle réfléchissait. Parce que j'étais son ombre, elle pouvait me confier ses inquiétudes, ses peurs, ses doutes sans se compromettre. Parce que j'étais son ombre, j'étais la seule qui osait pénétrer sa vie privée devenue hermétiquement fermée depuis les jours où elle vendait du « café », fait à partir de vieux pain carbonisé moulu, sur le trottoir en face de chez elle, depuis le temps où les fenêtres de sa maison étaient vendues. Je rallumais sans sa permission les flammes qu'elle croyait disparues derrière sa façade devenue massive. Je semais des frivolités en permettant à ses enfants de se lancer des tartes à la crème sur ma terrasse, en les mettant dans une boîte de carton remplie de confettis devant sa chambre pour lui souhaiter joyeux anniversaire à son réveil, en cachant dans sa pochette de documents à signer un string en cuir rouge.

J'AIME LE CUIR ROUGE du divan d'un cigare-lounge sur lequel j'ose me mettre à nu auprès d'amis, et parfois d'inconnus, à leur insu. Je leur raconte des bribes de mon passé comme si elles étaient des historiettes, des numéros d'humoriste ou des contes cocasses de pays lointains aux décors exotiques, aux sons insolites, aux personnages parodiques. Quand je m'assois dans ce lounge enfumé, j'oublie que je fais partie des Asiatiques qui ne possèdent pas l'enzyme déshydrogénase pour métaboliser l'alcool, j'oublie que je suis née marquée d'une tache bleue sur les fesses, comme les Inuits, comme mes fils, comme tous ceux de sang oriental. J'oublie cette tache mongoloïde qui révèle la mémoire génétique parce qu'elle s'est estompée pendant les premières années de l'enfance, alors que ma mémoire émotive, elle, se perd, se dissout, s'embrouille avec le recul.

CE RECUL, CE DÉTACHEMENT, cette distance me permettent d'acheter sans scrupule et en toute connaissance de cause une paire de souliers dont le prix, là où je suis née, suffirait à nourrir une famille de cinq personnes pendant une année entière. Il suffit que le vendeur me promette « *You'll walk on air* » pour que je les achète. Quand nous réussissons à flotter en l'air, à nous extirper de nos racines – non seulement en traversant un océan et deux continents, mais en nous éloignant de notre état de réfugiés apatrides, de ce vide identitaire –, nous pouvons aussi nous moquer du sort improbable de mon bracelet en acrylique de prothèse dentaire dans lequel mes parents avaient caché tous leurs diamants en guise de trousse de survie. Qui aurait cru qu'après que nous eûmes évité la noyade, les pirates, la dysenterie, ce bracelet se retrouverait aujourd'hui, totalement intact, enfoui dans un dépotoir ? Qui aurait cru que des cambrioleurs voleraient des gens habitant un appartement aussi démuni que le nôtre ? Qui aurait cru qu'ils s'encombreraient d'un aussi ridicule bijou en plastique rose ? Tous les membres de ma famille sont convaincus que les cambrioleurs l'ont rapidement écarté lors du tri de leur prise. Alors, peut-être qu'un jour, dans des milliers d'années, un archéologue se demandera pourquoi des diamants sont placés ainsi en cercle dans la terre ? Il interprétera peut-être cela comme un rite religieux et les diamants, une offrande mystérieuse, comme tous ces taels d'or découverts en quantité étonnante dans les fonds marins du Sud-Est asiatique.

ABSOLUMENT PLUS PERSONNE ne connaîtra la vraie histoire de ce bracelet rose une fois que l'acrylique se sera décomposé en poussière, une fois que les années se seront accumulées en milliers, en centaines de strates, car après seulement trente ans je ne nous reconnais déjà plus que par fragments, par cicatrices, par lueurs.

EN TRENTE ANS, Sao Mai a resurgi comme un phénix renaissant de ses cendres, tout comme le Vietnam de son rideau de fer et mes parents des cuvettes de toilettes d'école. Seuls autant qu'ensemble, tous ces personnages de mon passé ont secoué la crasse accumulée sur leur dos afin de déployer leurs ailes au plumage rouge et or, avant de s'élancer vivement vers le grand espace bleu, décorant ainsi le ciel de mes enfants, leur dévoilant qu'un horizon en cache toujours un autre et qu'il en est ainsi jusqu'à l'infini, jusqu'à l'indicible beauté du renouveau, jusqu'à l'impalpable ravissement. Quant à moi, il en est ainsi jusqu'à la possibilité de ce livre, jusqu'à cet instant où mes mots glissent sur la courbe de vos lèvres, jusqu'à ces feuilles blanches qui tolèrent mon sillage, ou plutôt le sillage de ceux qui ont marché devant moi, pour moi. Je me suis avancée dans la trace de leurs pas comme dans un rêve éveillé où le parfum d'une pivoine éclose n'est plus une odeur, mais un épanouissement ; où le rouge profond d'une feuille d'érable à l'automne n'est plus une couleur, mais une grâce ; où un pays n'est plus un lieu, mais une berceuse.

ET AUSSI, où une main tendue n'est plus un geste, mais un moment d'amour, prolongé jusqu'au sommeil, jusqu'au réveil, jusqu'au quotidien.

Collection

Gilles Gougeon
Catalina
Taxi pour la liberté

Claude-Henri Grignon
Un homme et son péché

Michel Jean
Envoyé spécial
Un monde mort comme
 la lune
Une vie à aimer

Lucille Jérôme
et Jean-Pierre Wilhelmy
Le Secret de Jeanne

Saïd Khalil
Bruny Surin –
 Le lion tranquille

André Lachance
Vivre à la ville en
 Nouvelle-France

Louise Lacoursière
Anne Stillman 1 – Le procès
Anne Stillman 2 – De
 New York à Grande-Anse

Roger Lemelin
Au pied de la Pente douce
Le Crime d'Ovide Plouffe
Les Plouffe

Véronique Lettre
et Christiane Morrow
Plus fou que ça…
 tumeur !

Denis Monette
Et Mathilde chantait
La Maison des regrets
La Paroissienne
Les Parapluies du Diable
Marie Mousseau,
 1937-1957
Par un si beau matin
Quatre jours de pluie
Un purgatoire

Paul Ohl
Drakkar
Katana
Soleil noir

Jean O'Neil
Le Fleuve
L'Île aux Grues
Stornoway

Annie Ouellet
Justine ou Comment se
 trouver un homme en
 cinq étapes faciles

Francine Ouellette
Le Grand Blanc
Les Ailes du destin

Cet ouvrage a été composé en Dolly 9,5/12
et achevé d'imprimer en avril 2023 sur les presses
de Marquis Imprimeur, Québec, Canada.